2025年度版

TAC税理士講座

税理士受験シリーズ

11

法人税法

個別計算問題集

TAC出版

TAC PUBLISHING Group

はじめに

　法人税法の計算問題は、ほとんどが総合問題形式により出題されているが、結局のところは個別問題の集合であり、個別問題を十分に研究することが総合問題解法の第一歩といえよう。しかし、高度なレベルの出題がかなり多い現在の計算問題を完全にマスターするためには、あまりに法人税法の勉強範囲は広い。合格を目的にした受験勉強では、最小の努力で最大の効果を生む戦略的な学習方法が当然のごとく要求される。

　そこで、本書の執筆にあたり、最少の問題で合格レベルに達することができるように、収録した問題は、過去の出題傾向に基づいて、受験上必要な規定だけを使用している。

　本書に収録された問題で、本試験の出題範囲の９割以上をカバーしている。この一冊を完璧にマスターすれば、計算問題に関しては楽に合格レベルに達することができるので、利用法を守って、しっかり身に付けてほしい。

ＴＡＣ税理士講座

本書の特長

1 　出題可能性の高い論点を中心に収録

　過去の出題傾向に基づき、本試験に出題可能性の高い、受験上必要な規定だけを使用しています。

　また、解答プロセスが十分理解できるように、参照すべき条文番号と解答への道を詳しく記載してあります。

2 　最新の改正に対応

　最新の税法等の改正等に対応しています。

（令和6年7月1日現在の施行法令に準拠）

3 　重要度を明示

　問題ごとに、学習の指針となるように、出題実績に応じた重要度を明示しています。重要度に応じたメリハリをつけた学習を行うことが可能です。

　　　　Aランク…制度の骨組みを理解するための基本問題

　　　　Bランク…応用論点を入れた応用問題

　　　　Cランク…他項目との関連を重視した複合問題・研究問題

4 　本試験の出題の傾向と分析を掲載

　最新の第74回（2024年実施）を含めた、本試験の出題傾向と分析を掲載しています。学習を進めるにあたって、参考にしてください。

本書の利用方法

1 実際に問題を解く

本書は参考書ではないため、目で読むだけの学習はしないようにしてください。実際に、電卓とペンを手に持ち、いわゆる"体で読む"ようにしてください。

2 解答時間を計って解く

時間を意識しないトレーニングは意味がなく、上達も期待できません。解き始めの時間と終了時間を必ずチェックし、解答時間を記録しておきます。反復学習を通じて、解答スピードを身に付けてください。

3 間違えた問題はもう一度解く

間違えた問題をそのままにしておくと、後日同じような問題を解いたときに再度間違える可能性が高くなります。そのため、間違えた問題は条文で必ず確認し、条文で計算問題を理解するようにしてください。そして、二度、三度と反復して解き、少しずつ苦手な問題（論点）を少なくしてください。

4 チェック欄の利用方法

目次には問題ごとにチェック欄を設けてあります。実際に問題を解いた後に、日付、解答時間などを記入することにより、計画的な学習、弱点の発見ができます。

目 次

計算問題について

① 過去の出題内容

内　容 ＼ 回数	第60回	第61回	第62回	第63回	第64回	第65回	第66回	第67回	第68回	第69回	第70回	第71回	第72回	第73回	第74回
1．収益、費用の計上時期（帰属時期の特例を含む）	○	○						○							
2．受取配当等															
(1) 益金不算入額の計算			○		○	○				○	○	○		○	
(2) みなし配当			○	○						○		○		○	○
3．有価証券															
(1) 譲渡原価、期末評価	○		○	○						○					
(2) 取得価額					○									○	
4．減価償却															
(1) 超過額等の計算	○	○	○		○	○	○	○		○		○	○	○	○
(2) 中古資産							○		○						
5．特別償却	○				○			○					○	○	
6．繰延資産					○										
7．評価損益					○					○					
8．給　与	○		○		○	○	○	○	○	○	○	○	○	○	○
9．寄附金	○	○	○		○		○	○				○	○	○	
10．交際費等	○	○	○		○	○		○						○	○
11．租税公課（納税充当金含む）	○	○			○	○	○			○		○	○	○	○
12．圧縮記帳															
(1) 国庫補助金														○	
(2) 保険差益											○				
(3) 交　換															
(4) 買換え				○					○						
(5) 収用等															
(6) 特定資産の交換															

内　　容 \ 回　数	第60回	第61回	第62回	第63回	第64回	第65回	第66回	第67回	第68回	第69回	第70回	第71回	第72回	第73回	第74回
13. 引当金															
（1）貸倒引当金		○		○			○	○			○	○			○
（2）退職給与引当金〔廃止〕															
14. 準備金					○									○	
15. 収用等の所得の特別控除															
16. 欠損金	○		○		○					○		○			○
17. 借地権															
18. リース取引			○			○				○					
19. 外貨建資産等													○		○
20. 法人税額の特別控除	○			○	○										
21. 留保金課税制度											○				
22. 所得税額控除			○			○	○			○	○	○		○	
23. 外国税額控除					○								○		
24. 移転価格税制															
25. グループ法人税制		○	○				○		○		○			○	○
26. 合併・解散の課税関係										○		○			
27. 別表5（一）		○	○		○		○	○			○				○
28. 別表5（二）		○													
29. 企業組織再編成					○					○					

② **出題形式**

　　計算問題は、総合問題形式（１題若しくは２題）又は個別問題形式の出題が続いている。基本的には別表４及び別表５（一）の作成が中心となるが、寄附金や交際費等の計算明細（別表14、別表15）の記入を行わせる問題や、修正申告を行わせる問題が出題されたこともある。

　　また、自ら決算整理仕訳を行い、当期利益を確定後に申告書別表４及び別表５（一）Ⅰを作成するという、いわゆる決算修正型（精算表型）の問題も過去何度か出題されている。

③ **傾向と対策**

　　最近の問題は、ボリュームは多いが、難易度の平易な問題が多い。

　　したがって、第75回の試験も難易度の平易な問題が出題される可能性があるが、このような場合においては、特殊な論点で合否が決まるのではなく、基礎的論点をいかに正確に得点するかが重要なカギとなるであろう。そこで、対策としては過去の本試験での出題回数が多い項目や他の受験生も学習を積んでいる次のような項目から固めていくのが合理的である。

　イ　減価償却

ロ　受取配当

ハ　給与

ニ　寄附金

ホ　交際費等

ヘ　租税公課

ト　貸倒引当金

チ　法人税額の特別控除

リ　所得税額控除

ヌ　グループ法人税制

　また、上記以外の項目で、本試験において重要と思われる項目は次のとおりである。

イ　有価証券の譲渡原価、取得価額

ロ　外国税額控除

ハ　欠損金

　上記のことを参考にし、まず個別問題で各項目の基礎を固め、最終的に総合問題に対処できる力を身につけるよう心がけてください。

凡　　例

法	…………	法人税法
令	…………	法人税法施行令
規	…………	法人税法施行規則
基　通	…………	法人税法基本通達
通則法	…………	国税通則法
措　法	…………	租税特別措置法
措　令	…………	租税特別措置法施行令
措　規	…………	租税特別措置法施行規則
措　通	…………	租税特別措置法関係通達
耐　令	…………	減価償却資産の耐用年数等に関する省令
耐　通	…………	耐用年数等の適用等に関する取扱通達
個　通	…………	法人税個別通達
加	…………	別表4加算
減	…………	別表4減算
留	…………	留保
流	…………	社外流出
課	…………	課税外収入

引　用　例

法24①二	……	法人税法第24条第1項第二号
基通5-2-7	……	法人税法基本通達5－2－7

第1章

収益費用の計上時期

1 個別論点のチェック

項　　　　目	参照条文	問1	問2	問3
1. 工 事 進 行 基 準	法64、令129	○	○	
2. 委 　 託 　 販 　 売	基通2－1－3			○

2 他項目との関連

　仕訳の上で売掛金が生ずる販売関係項目は、いずれも貸倒引当金の設定対象となる売掛債権等との関係が生ずる。

　ＴＡＣ建設会社における甲ビルの建設請負契約及びその工事の当期（令和７年４月１日～令和８年３月31日）における進行状況等は、次のとおりである。各期において、工事進行基準を適用した場合に計上すべき収益の額及び費用の額を計算するとともに、これを計上する仕訳を示しなさい。なお当社は年１回３月末決算法人である。

１．契約による請負対価

　　令和５年10月１日に締結した契約書によると 90,000,000円である。

　　令和６年７月１日に資材値上りにより改訂し100,000,000円となる。

２．工事の進行状況

　　令和５年12月１日に着工し、令和７年９月30日に完成し引渡した。各期における工事の進行状況は次のとおりである。

各期末における金額等	令和６年３月期	令和７年３月期	令和８年３月期
見積工事原価の総額	63,000,000円	70,000,000円	―――― 円
実際工事原価の累積額	25,200,000	49,000,000	75,000,000

解 答

１．令和６年３月期

(1) 収益の額　　$90,000,000円 \times \dfrac{25,200,000円}{63,000,000円} - 0 円 = 36,000,000円$

(2) 費用の額　　25,200,000円

(3) 仕 訳

（完成工事未収入金）	36,000,000円	（完 成 工 事 高）	36,000,000円
（完 成 工 事 原 価）	25,200,000円	（未 成 工 事 支 出 金）	25,200,000円

２．令和７年３月期

(1) 収益の額　　$100,000,000円 \times \dfrac{49,000,000円}{70,000,000円} - 36,000,000円 = 34,000,000円$

(2) 費用の額　　$49,000,000円 - 25,200,000円 = 23,800,000円$

(3) 仕 訳

（完成工事未収入金）	34,000,000円	（完 成 工 事 高）	34,000,000円
（完 成 工 事 原 価）	23,800,000円	（未 成 工 事 支 出 金）	23,800,000円

3．令和8年3月期

(1) 収益の額　　100,000,000円－（36,000,000円＋34,000,000円）＝30,000,000円

(2) 費用の額　　75,000,000円－（25,200,000円＋23,800,000円）＝26,000,000円

(3) 仕　訳

（完成工事未収入金）	30,000,000円	（完　成　工　事　高）	30,000,000円
（完　成　工　事　原　価）	26,000,000円	（未　成　工　事　支　出　金）	26,000,000円

解答への道

　請負対価、見積工事原価は、あくまでも各期末の金額によるのであるから、期中に対価や原価に変動があった場合には、その変動後の金額により計算すればよい。（法64①、令129③）

問題　2　工事進行基準②　　　　重要度　A

次の資料により、当社の当期（令和7年4月1日～令和8年3月31日）の税務上調整すべき金額を算定しなさい。

1．当社は、請負工事に係る収益の額及び費用の額の計上について、従来より工事完成基準を採用している。

2．当期末現在未完成である請負工事に関する資料は次のとおりである。

	A工事	B工事	C工事	D工事	E工事
着　　工　　日	令6. 6.15	令7. 7.10	令7.12.19	令7. 9. 8	令7.11.24
引　渡　予　定　日	令8. 9.30	令8. 5.31	令10. 1.31	令10.11.30	令9.12.31
	百万円	百万円	百万円	百万円	百万円
請　負　工　事　高	20,000	16,000	950	18,000	16,500
見積工事原価の額	15,000	12,000	760	12,600	13,200
当期末までに支出した原価の額	12,300	5,100	280	3,780	1,980

（注1）A工事については、前期（令和6年4月1日～令和7年3月31日）の別表4において完成工事高7,000,000,000円及び完成工事原価5,250,000,000円の計上を行っている。

（注2）工事代金はいずれも完成引渡日までに全額支払われることとなっている。

1．A工事

(1) 工事収益計上もれ

$$20,000,000,000円 \times \frac{12,300,000,000円}{15,000,000,000円} - 7,000,000,000円 = 9,400,000,000円（加・留）$$

(2) 工事原価計上もれ

$$12,300,000,000円 - 5,250,000,000円 = 7,050,000,000円（減・留）$$

2．D工事

(1) 工事収益計上もれ

$$18,000,000,000円 \times \frac{3,780,000,000円}{12,600,000,000円} = 5,400,000,000円（加・留）$$

(2) 工事原価計上もれ　3,780,000,000円（減・留）

解答への道

1．長期大規模工事とは、①工事期間が1年以上、②請負対価の額が10億円以上で、③請負対価の額の2分の1以上が引渡日から1年以上経過後に支払われるものでない請負工事をいう。

（法64①、令129①②）

2．長期大規模工事については工事進行基準が強制適用される。したがって、会社が決算において工事進行基準による収益及び費用の計上を行わなかった場合には、申告調整によりその計上を行うことになる。（法64①）

　　ただし、下記のいずれかに該当する長期大規模工事については、工事進行基準を適用しないことができる。（令129⑥）

(1) 期末現在、その着工日から6月を経過していないもの

(2) 期末現在、工事進行割合が20％に満たないもの

3．B工事は工事期間が1年未満のため、C工事は請負対価の額が10億円未満であるため、いずれも長期大規模工事に該当しない。したがって、工事完成基準の適用が是認される。

4．E工事は長期大規模工事に該当するが、上記2に該当するため、当期については工事進行基準を適用しないことができる。

問 題 3　委託販売等　　　　　　　　　　　重要度　B

次の(1)と(2)について、当社の当期（令和7年4月1日〜令和8年3月31日）における税務上の調整を行いなさい。

(1) 当期の3月15日にA商店に引渡した製品について、販売単価をめぐって同商店と合意できなかったため、その製品原価である400,000円を棚卸資産として経理している。

　　翌期の6月20日にA商店と話し合いがつき、販売価額650,000円と確定した。なお、当期末の現況で販売価額を適正に見積ると630,000円となる。当社は何ら処理していない。

(2) 当社は、製品の一部についてB商事を受託者とする委託販売を行っており、当期中に次のような販売の通知を受取ったが、B商事からの送金が期末現在入金していないため、この販売に係る製品原価900,000円は積送品勘定に計上したままで、一切の処理が行われていない。

① 売 上 高　　　1,200,000円
② 立 替 諸 掛　　　 50,000円（前払費用となるものは含まれていない。）
③ 販 売 手 数 料　　150,000円

なお、販売代金 1,000,000円は、翌期の5月10日に送金されている。

解 答

(1)の場合

売上計上もれ	630,000円	（加・留）
棚卸資産過大計上	400,000円	（減・留）

(2)の場合

売上計上もれ	1,200,000円	（加・留）
積送品過大計上	900,000円	（減・留）
積送諸掛認定損	50,000円＋150,000円＝200,000円	（減・留）

解答への道

1．資産の販売は引渡基準により認識する。したがって、販売代金の額が未確定の場合には、期末においてその金額を見積るものとする。

2．委託販売に係る収益の額は、受託者が販売した日の属する事業年度の益金の額に算入する。

(基通2-1-3)

3．上記(1)と(2)の売掛金は、いずれも貸倒引当金の設定対象となる売掛債権等に該当する。

MEMO

第2章

受取配当等の益金不算入額（みなし配当を除く）

1 個別論点のチェック

項　　目		参照条文	問1	問2	問3	問4	問5
配当等	1．範　　　　　囲	法23①	○	○	○	○	○
	2．特定株式投資信託	措法67の6①	○				
	3．完全子法人株式等	法23⑤				○	
	4．関連法人株式等	法23④		○	○	○	○
	5．非支配目的株式等	法23⑥		○		○	○
	6．名　　義　　株	基通3－1－1				○	
	7．短期保有株式等	法23②、令20			○	○	○
控除負債利子	8．支　払　利　子	令19		○	○	○	○
		基通3-2-1～4の2		○		○	○

2 他項目との関連

　受取配当等の益金不算入に関する問題は、その性質上単独問題として出題される可能性は少なく、控除所得税との複合問題として出題されることが多い。また、有価証券の帳簿価額等と組み合わせて出題されることもある。本章のほか、第3章（みなし配当）、第5章（有価証券）及び第31章（所得税額控除）をあわせて学習してほしい。

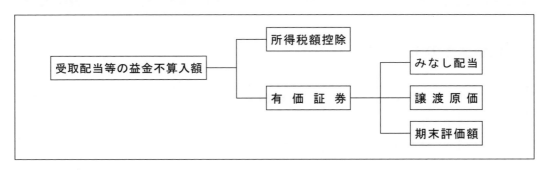

| 問　題　1 | 配当等の範囲 | 重　要　度 | A |

次の資料により、当社の当期（令和7年4月1日～令和8年3月31日）における受取配当等の益金不算入額を計算しなさい。

1．当期中に受取った配当等の内訳は次のとおりである。

銘　　　　　柄	区　　　分	配当等の額
A　　株　　式	期　末　配　当	260,000円
同　　　　　上	中　間　配　当	100,000
B 証 券 投 資 信 託	収 益 分 配 金	250,000
C 証 券 投 資 信 託	収 益 分 配 金	300,000
D　　株　　式	期　末　配　当	70,000
E 協 同 組 合 出 資	出資分量分配金	50,000
同　　　　　上	事業分量分配金	15,000
F 公 社 債 投 資 信 託	収 益 分 配 金	180,000
G　　株　　式	期　末　配　当	210,000
中小企業経営対策会	分　　配　　金	40,000
H　　株　　式	期　末　配　当	51,000
I　　株　　式	利 益 の 配 当	600,000
J　銀　行　預　金	利　　　　　子	1,960,000
K　社　　社　　債	利　　　　　子	130,000

（注1）　B証券投資信託は、主として国内株式に投資するものである。

（注2）　C証券投資信託は、租税特別措置法第3条の2に規定する特定株式投資信託である。

（注3）　D株式及びH株式の発行法人であるD社及びH社は外国法人である。

（注4）　中小企業経営対策会は人格のない社団等である。

（注5）　I株式の発行法人であるI社は、特定目的会社であり、利益の配当は特定目的会社において損金の額に算入されるものである。

（注6）　C証券投資信託は非支配目的株式等に該当し、それ以外の株式・出資には完全子法人株式等、関連法人株式等及び非支配目的株式等に該当するものはない。また、売買目的有価証券に該当するものもない。

2．当社の期末資本金額は、2億円である。

１．配当等の額（その他）

（１）その他株式等

260,000円＋100,000円＋50,000円＋210,000円＝620,000円

（２）非支配目的株式等

300,000円

２．益金不算入額　　620,000円×50％＋300,000円×20％＝370,000円（減・課）

１．益金不算入の対象となる配当等は、内国法人（公益法人等又は人格のない社団等から受ける①を除く）から受ける①剰余金の配当若しくは利益の配当、②出資に係る剰余金の分配、③特定株式投資信託の収益分配金の３種類に限られる。

　　したがって、本問では外国法人及び人格のない社団等からの配当等、協同組合からの事業分量分配金、特定株式投資信託以外の収益分配金、預金利子、社債の利子は益金不算入の対象とならない。（法23①）

２．特定株式投資信託は、収益分配金の全額が非支配目的株式等の区分で益金不算入の対象となる。（措法67の6①）

３．特定目的会社から支払を受ける利益の配当の額は受取配当等の益金不算入の対象となる配当等の額に該当しない。

問　題　２　控除負債利子　　　重要度　A

　次の資料により、当社の当期（令和７年４月１日〜令和８年３月31日）における受取配当等の益金不算入額について税務調整すべき金額を計算しなさい。

１．当期に収入した配当等は次のとおりである。

銘　柄	区　分	収入金額	計算期間
Ａ　株　式	剰余金の配当	700,000円	令7. 2. 1 〜令8. 1.31
Ｂ　株　式	剰余金の配当	1,080,000	令6. 2. 1 〜令7. 1.31
Ｃ　株　式	剰余金の配当	720,000	令6.10. 1 〜令7. 9.30
Ｄ公社債 投資信託	収益分配金	630,000	令7. 1. 1 〜令7.12.31

（1）　A株式の発行法人であるA社は外国法人である。

（2）　B株式の剰余金の配当に関する株主総会の決議は、令和7年4月27日になされている。

（3）　C株式の剰余金の配当は、定時株主総会の決議による配当であり、その基準日を毎年9月30日としている。

（4）　B株式の保有割合は50％、B株式以外の株式等の保有割合はすべて1％未満である。また、B株式の取得は平成22年2月1日である。

2．当期の費用に計上した利子・割引料は9,974,000円であり、そのうちには次のものが含まれている。

（1）甲銀行からの営業取引の対価として受取った手形を担保とした借入金の利子

1,750,000円

（2）乙信用金庫からの長期借入金の利子　　　　1,480,000円

なお、証書に記載された弁済期限は5年であるが、弁済をはじめてから既に4年を経過した。

（3）　売上割引料　　　　　　　　　　　　　　1,570,000円

（4）　約束手形の売却損　　　　　　　　　　　2,390,000円

（5）　社債の利子　　　　　　　　　　　　　　1,200,000円

（注）上記以外に建物の取得に要した借入金の利子で、その建物の取得価額に算入しているものが2,958,000円ある。

1. 配当等の額

  (1) 関連法人株式等　　　　　1,080,000円

  (2) 非支配目的株式等　　　　　720,000円

2. 益金不算入額

  (1) (9,974,000円－1,570,000円＋2,958,000円)×10％＝1,136,200円

  (2) 1,080,000円×4％＝43,200円

  (3) 控除負債利子

    (1)＞(2)　　∴　　43,200円

  (4) 益金不算入額

    (1,080,000円－43,200円)＋720,000円×20％＝1,180,800円（減・課）

解答への道

1. 外国法人からの配当には益金不算入の適用はない。なお、源泉徴収された外国法人税の額につき外国税額控除の適用がある。（法23①、法69①）

2. 控除負債利子は関連法人株式等に係る配当等のみから控除する。

3. 計算パターンは次のとおりである。

---

(1) 配当等の額

(2) 益金不算入額

  ① 支払利子等の額の合計額×10％

  ② 関連法人株式等に係る配当等の額の合計額×4％

  ③ 控除負債利子

    イ ①＞②の場合

      関連法人株式等に係る配当等の額×4％

    ロ ①≦②の場合

      $\dfrac{支払利子等の額}{の合計額×10％} × \dfrac{その配当等の額}{関連法人株式等に係る配当等の額の合計額}$

  ④ 益金不算入額

    完全法人株式等に係る配当等の額

    ＋関連法人株式等に係る（配当等の額－控除負債利子）

    ＋その他株式等に係る配当等の額×50％

    ＋非支配目的株式等に係る配当等の額×20％

| 問　題　3 | 短期保有株式等 | | 重　要　度 | B |

　次の資料により、当社の当期（令和7年4月1日～令和8年3月31日）における受取配当等の益金不算入額を計算しなさい。

1．当期中に収益に計上した受取配当等の内訳は、次のとおりである。なお、株式等で売買目的有価証券に該当するものはない。

銘　　　柄	区　分	計　算　期　間	配当等の額
			円
A　　株　　式	期末配当	令6. 3. 1	900,000
		～令7. 2.28	
B　　株　　式	中間配当	令7. 8. 1	600,000
		～令8. 1.31	
C 生命保険契約	契約者配当	――	200,000

（注1）A株式（A社の発行済株式総数400,000株）の異動状況は次のとおりである。なお、定時株主総会の決議による配当であり、その基準日を毎年2月末日としている。

　　　　①　令和6年3月1日現在所有株式数　　　　　　　　　　10,000株

　　　　②　令和7年1月31日現在所有株式数　　　　　　　　　32,000株

　　　　③　令和7年2月10日取得株式数　　　　　　　　　　　8,000株

　　　　④　令和7年2月12日譲渡株式数　　　　　　　　　　　4,000株

　　　　⑤　令和7年3月2日取得株式数　　　　　　　　　　　12,000株

　　　　⑥　令和7年4月15日譲渡株式数　　　　　　　　　　28,000株

（注2）B株式（関連法人株式等に該当する。）の発行法人であるB社は、会社法第454条の規定により中間配当をできる旨を定款で定め、その基準日を毎年1月31日としている。

2．当期における支払利子の額は920,000円である。

3．当社の期末資本金額は、1億円である。

1．配当等の額

(1) 関連法人株式等　　600,000円

(2) その他株式等

（900,000円－105,000円）＝795,000円
　　　　　　　　＊

　　＊　短期保有株式等

①　28,000株×$\dfrac{8,000株}{32,000株＋8,000株}$×$\dfrac{36,000株}{36,000株＋12,000株}$＝4,200株

②　900,000円×$\dfrac{4,200株}{36,000株}$＝105,000円

2．益金不算入額

(1) 920,000円×10％＝92,000円

(2) 600,000円×4％＝24,000円

(3) 控除負債利子

　　(1)＞(2)　　∴　24,000円

(4) 益金不算入額

　　（600,000円－24,000円）＋795,000円×50％＝973,500円（減・課）

1．A株式の異動状況は、次のとおりである。（法23②、令20）

なお、短期保有株式等に係る配当等の額は、次の算式により計算される。

(1) 短期保有株式等　　$P＝E×\dfrac{B}{A＋B}×\dfrac{C}{C＋D}$

(2) 短期保有株式等に係る配当等の額……対象となる配当等の額×$\dfrac{P}{C}$

　短期保有株式等がある場合には短期保有株式等を有していないものとして非支配目的株式等の判定を行う。

　したがって、本問では、

　　基準日株式数36,000株－短期保有株式数4,200株＝31,800株

を判定の基準とし、400,000株で割ると7.95％となり、その他株式等に該当する。

2．生命保険の契約者配当金は支払法人の損金となるため、益金不算入の対象とならない。（法60）

問　題　4　複合問題①　　　　　　　　重要度　B

　次の資料により、当社の当期（令和7年4月1日〜令和8年3月31日）における受取配当等の益金不算入額を計算しなさい。

1．当期に計上すべき配当は次のとおりである。

区　分	銘柄等	計算期間	配当等の額
剰余金の配当	A　株　式	令 7. 2. 1 〜令 8. 1.31	720,000円
剰余金の配当	B　株　式	令 7. 1. 1 〜令 7.12.31	250,000
剰余金の配当	C　株　式	令 6. 4. 1 〜令 7. 3.31	200,000
社 債 利 子	D　社　債	令 7. 7. 1 〜令 7.12.31	120,000
預 金 利 子	銀 行 預 金	——	1,680,000

（注1）A株式の名義人は当社社長となっているが、実質的には当社所有のものである。なお、A株式の保有割合は40％である。

（注2）B株式は令和7年12月10日に10,000株を取得し、令和8年2月26日に6,000株、3月18日に残り4,000株を売却している。なお、定時株主総会の決議による配当であり、その基準日を毎年12月31日としている。また、B株式の保有割合は1％未満である。

（注3）C株式は、完全子法人株式等に該当する。

（注4）上記の株式等はB株式を除き、数年来継続して所有している。また、売買目的有価証券に該当するものはない。

2．当期中に支払った利子・割引料等の内訳は、次のとおりである。

　（1）取引先からの長期借入金（証書借入、返済期限6年）の利子　　　1,158,000円

　（2）E銀行からの長期借入金（証書借入、返済期限3年)の利子　　　2,316,000円

　（3）社内預金利子　　　　　　　　　　　　　　　　　　　　　　　1,113,600円

　（4）売上割引料　　　　　　　　　　　　　　　　　　　　　　　　　500,000円

　（5）預り営業保証金の利子　　　　　　　　　　　　　　　　　　　1,980,000円

　（6）社債の利子　　　　　　　　　　　　　　　　　　　　　　　　4,152,000円

　（7）割賦購入資産の取得価額に含めた割賦利息　　　　　　　　　　　　88,000円

　（8）その他の利子　　　　　　　　　　　　　　　　　　　　　　　5,780,400円

解　答

1．配当等の額

(1) 完全子法人株式等　　200,000円

(2) 関連法人株式等　　720,000円

(3) 非支配目的株式等

$$250,000円 - \overset{*}{150,000円} = 100,000円$$

　　＊　短期保有株式等

① $6,000株 \times \dfrac{10,000株}{10,000株} \times \dfrac{10,000株}{10,000株} = 6,000株$

② $250,000円 \times \dfrac{6,000株}{10,000株} = 150,000円$

2．益金不算入額

(1) $(1,158,000円 + 2,316,000円 + 1,113,600円 + 1,980,000円 + 4,152,000円 + 5,780,400円)$

　$\times 10\% = 1,650,000円$

(2) $720,000円 \times 4\% = 28,800円$

(3) 控除負債利子

　　(1) ＞ (2)　　∴　28,800円

(4) 益金不算入額

　$200,000円 + (720,000円 - 28,800円) + 100,000円 \times 20\% = 911,200円$（減・課）

解答への道

1．名義株であるA株式に係る配当は益金不算入の対象となる。（基通3-1-1）

2．B株式10,000株のうち6,000株は短期保有株式等に該当することに注意してほしい。（令20）

3．C株式は完全子法人株式等に該当するため、負債利子を控除せず、配当等の額の全額が益金不算入となる。

4．売上割引料は、支払利子に該当しない。（基通3-2-3の2）

5．割賦購入資産の取得価額に算入した割賦利息は、支払利子に含めない。（基通3-2-3）

問 題 5 複合問題②　　　　　　　　　　　　　　　　重 要 度 ｜ B

　　次の資料により、当社の当期（令和７年４月１日～令和８年３月31日）における受取配当等
の益金不算入額を計算しなさい。

１．当期中に収受した配当等の額は次のとおりである。

区　分	銘柄等	計算期間	配当等の額
期末配当	Ａ　株　式	令 6.10.1～令 7.9.30	600,000円
期末配当	Ｂ　株　式	令 6.10.1～令 7.3.31	750,000
中間配当	同　上	令 7.4.1～令 7.9.30	220,000
収益分配金	Ｃ証券投信	令 7.1.1～令 7.12.31	1,028,000

（注１）　Ａ株式の保有割合は、数年来50％である。

（注２）　Ｂ法人は、会社法第454条の規定により中間配当をできる旨を定款で定め、その基準
　　　　　日を毎年９月30日と定めている。Ｂ株式の最近の異動状況は次のとおりである。

　　　　　なお、期末配当は定時株主総会の決議による配当であり、その基準日を毎年３月31
　　　　　日としている。また、Ｂ株式の保有割合は常に５％未満である。

日　　付	取 得 株 数	売 却 株 数	所 有 株 数
令和６年４月１日	── 株	── 株	45,000株
令和７年３月10日	──	5,000	40,000
7 年 9 月 6 日	15,000	──	55,000
7 年 9 月17日	──	10,000	45,000
7 年 9 月24日	5,000	──	50,000
7 年10月19日	30,000	──	80,000
7 年11月23日	──	24,000	56,000

（注３）　Ｃ証券投信は、公社債投資信託である。

２．当期に支払った利子・割引料等の内訳は、次のとおりである。

　（1）　甲銀行からの証書借入れによる短期借入金の利子　　　　　　　　　　　　　2,120,000円

　（2）　従業員預り金の利子　　　　　　　　　　　　　　　　　　　　　　　　　　1,040,000円

　（3）　乙銀行からの証書借入れによる長期借入金（返済期限５年）の利子　　　　　2,600,000円

　（4）　役員からの証書借入れによる長期借入金（返済期限３年）の利子　　　　　　　790,000円

　（5）　社債の利子　　　　　　　　　　　　　　　　　　　　　　　　　　　　　　4,400,000円

　（6）　利子税及び地方税の延滞金で納期限延長に係るもの　　　　　　　　　　　　　 50,000円

―17―

（7）固定資産の取得価額に算入した借入金利子　　　　　　　　　2,900,000円

（8）割賦購入資産の取得価額に算入しなかった割賦利息　　　　　　80,000円

解　答

1．配当等の額

（1）関連法人株式等

　　600,000円

（2）非支配目的株式等

　　750,000円＋（220,000円－22,000円）＝948,000円
　　　　　　　　　　　　　　＊

　　＊　短期保有株式等

　　　①　$24,000株 \times \dfrac{20,000株}{40,000株＋20,000株} \times \dfrac{50,000株}{50,000株＋30,000株} ＝5,000株$

　　　②　$220,000円 \times \dfrac{5,000株}{50,000株} ＝22,000円$

2．益金不算入額

（1）（2,120,000円＋1,040,000円＋2,600,000円＋790,000円＋4,400,000円＋2,900,000円

　　＋80,000）×10％＝1,393,000円

（2）600,000円×4％＝24,000円

（3）控除負債利子

　　　（1）＞（2）　　∴　24,000円

（4）益金不算入額

　　　（600,000円－24,000円）＋948,000円×20％＝765,600円　（減・課）

解答への道

1．短期保有株式等の計算上、中間配当に係る計算期間の末日はその基準日となる。本問における
　　B株式の異動状況は、次のとおりである。（法23②、令20）

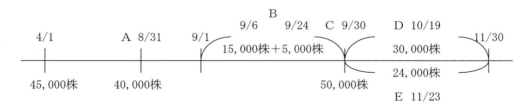

2．割賦購入資産の取得価額に算入せずに費用計上した割賦利息は、支払利子に含める。

（基通3-2-3）

3．固定資産の取得価額に算入した負債の利子は、支払利子に含める。（基通3-2-4の2）

第3章

みなし配当

1 個別論点のチェック

項　　　目		参照条文	問1	問2	問3
みなし配当	1. 解　　　散	法24①四、法61の2等	○		
	2. 資本の払戻し	法24①四、法61の2等		○	
	3. 自己株式の取得	法24①五、法61の2			○

2 他項目との関連

　みなし配当は受験生共通のウイークポイントであるが、この計算が有価証券の帳簿価額、受取配当等の益金不算入額の計算に直接影響するので必ず克服してほしい。

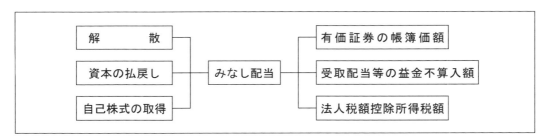

次の資料により、当社の当期（令和7年4月1日～令和8年3月31日）における税務上調整すべき金額を計算しなさい。

1．A株式の発行法人であるA社が、当期中に解散し、次の内容に基づいて残余財産の分配を受けた。

(1)　解散直前所有株数　　　　　70,000株（これに対する帳簿価額 4,900,000円）

(2)　残余財産分配金　　　　　5,600,000円（うち源泉所得税及び復興特別所得税 214,410円を含む。）

2．みなし配当の計算に必要なA社の資料は次のとおりである。なお、A社はこの払戻しにより残余財産の全てを分配した。

(1)　1株当たりのみなし配当の額は15円である。

(2)　払戻直前資本金の額　　　400,000,000円

(3)　払戻直前資本金等の額　　455,000,000円

(4)　払戻直前発行済株式総数　7,000,000株

3．当社は、残余財産分配金の手取額相当額と帳簿価額の差額を収益に計上している。

4．A株式は非支配目的株式等に該当する。

解　答

1．みなし配当

残余財産分配金

$$5,600,000円 - 455,000,000円 \times 1.0 \times \frac{70,000株}{7,000,000株} = 1,050,000円$$

2．受取配当等の益金不算入額

1,050,000円×20％＝210,000円（減・課）

3．法人税額控除所得税額

214,410円（仮計と合計の間で加・流）

解答への道

解散があった場合のみなし配当は、残余財産分配金から資本金等の額を控除した金額となる。

（法24①）

問 題 2　資本の払戻し　　　　　　　　　　　重要度　B

次の資料により、当社の当期（令和7年4月1日～令和8年3月31日）における税務上調整すべき金額を計算しなさい。

1．当社の所有しているB株式の発行法人であるB株式会社が期中に資本金の額を43,000,000円減少させるとともに同額の払戻しを行い、当社は交付金銭等1,996,850円（源泉所得税等153,150円控除後の金額）を取得した。

2．払戻し直前のB社の資本構成は次のとおりであり、この払戻しにより発行済株式総数に異動はない。

(1)　資本金の額　　　　　　　200,000,000円

(2)　資本金等の額　　　　　　280,000,000円

(3)　発行済株式総数　　　　　　1,000,000株

(4)　前期末純資産帳簿価額　　430,000,000円

3．この払戻しによりB社から通知された1株当たりのみなし配当の額は15円である。

4．当社の払戻し直前のB株式の保有株数は50,000株、帳簿価額は4,000,000円である。

5．当社はこの交付金銭等について次のような仕訳を行っている。

現　金　1,996,850円　／　B株式　1,996,850円

6．B株式は非支配目的株式等に該当する。

解 答

1．みなし配当

$$(1,996,850円 + 153,150円) - 280,000,000円 \times \frac{43,000,000円}{430,000,000円}(0.100) \times \frac{50,000株}{1,000,000株}$$

$$= 750,000円$$

2．有価証券

(1)　税務上の帳簿価額

4,000,000円 － 4,000,000円 × 0.100 ＝ 3,600,000円

(2)　会計上の帳簿価額

4,000,000円 － 1,996,850円 ＝ 2,003,150円

(3)　(1) － (2) ＝ 1,596,850円……有価証券計上もれ(加・留)

3．受取配当等の益金不算入額

750,000円 × 20％ ＝ 150,000円 (減・課)

4．法人税額控除所得税額

153,150円（仮計と合計の間で加・流）

問　題　3　　自己株式の取得　　　　重要度　B

次の資料により、当社の当期（令和7年4月1日〜令和8年3月31日）における税務上調整すべき金額を計算しなさい。

1．当社は所有するC株式を、発行法人であるC社に対して相対取引により10,000株（選定した方法に基づく1単位当たりの帳簿価額600円）を譲渡し、対価として9,285,300円（源泉徴収された所得税額等714,700円控除後）の金銭の交付を受けた。

2．当社は対価9,285,300円を収益に計上するとともに6,000,000円を譲渡原価に計上している。

3．C株式取得直前のC社の資本構成等は次のとおりである。

(1) 資本金の額　　　　　500,000,000円

(2) 資本金等の額　　　　650,000,000円

(3) 発行済株式総数　　　1,000,000株

(4) 1株当たりのみなし配当の額は350円である。

解　答

1．みなし配当

$$(9,285,300円＋714,700円)－650,000,000円 \times \frac{10,000株}{1,000,000株} ＝3,500,000円$$

2．受取配当等の益金不算入額

3,500,000円×20％＝700,000円（減・課）

3．法人税額控除所得税額

714,700円（仮計と合計の間で加・流）

第４章

外国子会社から受ける配当等

1 個別論点のチェック

項　　目	参照条文	問１
配当等の益金不算入	法23の２	○
外国源泉税等の損金不算入	法39の２	○

2 他項目との関連

外国法人から受ける配当等については、外国子会社以外の法人から受ける場合には、益金算入されるが、外国子会社から受ける場合には、配当等の益金不算入の適用を受けることができる。

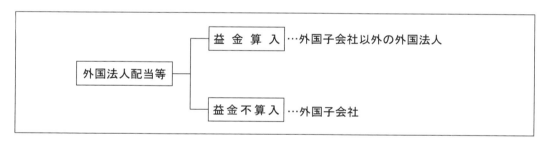

次の資料により、内国法人である当社の当期（令和7年4月1日～令和8年3月31日）における税務上調整すべき金額を計算しなさい。

(1) 当社は、数年前から継続してX国に所在するA社の発行済株式総数の50％を所有している。

(2) A社から剰余金の配当8,100,000円を受けることが当期の2月26日に確定し、X国の源泉税810,000円を徴収され、残額を受け取り収益計上した。

　　なお、この配当はA社において損金の額に算入されない。

解 答

(1) 外国子会社から受ける配当等の益金不算入額

8,100,000円－8,100,000円×5％＝7,695,000円 （減・課）

(2) 外国源泉税の損金不算入額

810,000円 （加・流）

解答への道

1．当社が発行済株式総数の25％以上を配当等の額の支払義務確定日以前6月以上保有しているため、外国子会社に該当する。（法23の2①）

2．外国子会社から剰余金の配当等を受けた場合には、その95％相当額が益金の額に算入されない。（令22の4②）

3．上記2の場合には、その配当等に係る外国源泉税については損金の額に算入されない。

（法39の2）

第5章

有 価 証 券

1 個別論点のチェック

項　　目	参照条文	問1	問2	問3	問4	問5	問6
1．譲渡原価の算出	法61の2、令119の2	○	○	○			
2．期　末　評　価	法61の3					○	○
3．取　得　価　額	令119				○		

2 他項目との関連

　有価証券の評価は株式等の異動状況を問題とするので、譲渡損益の算出のほか、短期保有株式等及び控除所得税の計算と密接な関係を有している。さらに、みなし配当及び帳簿価額の計算との組み合わせ問題も出題されている。

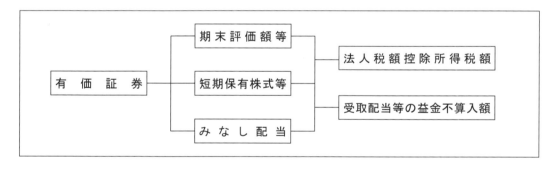

問 題 1　　譲渡原価①（移動平均法）

　　次の資料により、当社の当期（令和7年4月1日～令和8年3月31日）における税務調整すべき金額を計算しなさい。

1．当社は、有価証券の譲渡原価の算出方法の選定、届出を行っていない。

2．A株式（売買目的外有価証券に該当する。）の当期中の異動状況は、次のとおりである。

日　　付	摘　　要	株　　数	単　　価	金　　額
令和7年4月1日	前期繰越	100株	@ 90円	9,000円
6月20日	取　　得	500	@120	60,000
10月5日	譲　　渡	200	@140	28,000
令和8年2月20日	取　　得	300	@150	45,000

3．当社は、当期中に譲渡した200株に係る譲渡原価を24,000円として計算している。

解　答

1．1株当たりの帳簿価額

$$\frac{9,000円＋60,000円}{100株＋500株}＝115円$$

2．譲渡原価

24,000円－200株×115円＝1,000円　　　　有価証券譲渡原価過大計上（加・留）

問 題 2　　譲渡原価②（総平均法）

　　次の資料により、当社の当期（令和7年4月1日～令和8年3月31日）における税務調整すべき金額を計算しなさい。

1．当社は、有価証券の譲渡原価の算出方法として総平均法を届け出ている。

2．B株式（売買目的外有価証券に該当する。）の当期中の異動状況は、次のとおりである。

日　　付	摘　　要	株　　数	単　　価	金　　額
令和7年4月1日	前期繰越	100株	@120円	12,000円
7月10日	取　　得	200	@100	20,000
10月15日	譲　　渡	50	@130	6,500
令和8年2月8日	取　　得	200	@150	30,000

3．当社は、当期中に譲渡した50株に係る譲渡原価を6,200円として計算している。

解 答

1．1株当たりの帳簿価額

$$\frac{12,000円＋20,000円＋30,000円}{100株＋200株＋200株}＝124円$$

2．譲渡原価

6,200円－50株×124円＝0円　　　∴　是認

問題 ③　複合問題

次の資料により、当社の当期（令和7年4月1日～令和8年3月31日）における税務上調整すべき金額を計算しなさい。

1．当社は、有価証券の譲渡原価の算出方法の選定・届出を行っていない。

2．当社が所有している有価証券はA株式のみであり、その異動状況は次のとおりである。当期末における有価証券の帳簿価額は6,800,000円で計上されている。

異動日	内　容	株　数	単価	取得価額	売却価額	残　高
令7.1.1	繰　越	120,000株	60円	7,200,000円	――	120,000株
12.25	取　得	40,000	72	2,880,000	――	160,000
令8.2.5	譲　渡	50,000	62	――	3,100,000	110,000

3．当期中に収受したA株式の剰余金の配当は1,600,000円であり、所得税及び復興特別所得税326,720円が源泉徴収されている。この配当は、A社の令和7年1月1日から令和7年12月31日までの事業年度に係るものである。

4．A株式は非支配目的株式等に該当する。また、売買目的有価証券には該当しない。

解 答

1．有価証券

（1）1株当たりの帳簿価額　　　$\dfrac{7,200,000円＋2,880,000円}{120,000株＋40,000株}＝63円$

（2）期末帳簿価額

① 税務上　7,200,000円＋2,880,000円－50,000株×63円＝6,930,000円

② 会計上　6,800,000円

③ ①－②＝130,000円　　　有価証券計上もれ（加・留）

2．受取配当等の益金不算入額

(1) 配当等の額　　1,600,000円－125,000円＊＝1,475,000円

　　＊　短期保有株式等

　　　① 50,000株×$\dfrac{40,000株}{120,000株＋40,000株}$×$\dfrac{160,000株}{160,000株}$＝12,500株

　　　② 1,600,000円×$\dfrac{12,500株}{160,000株}$＝125,000円

(2) 益金不算入額　　1,475,000円×20％＝295,000円（減・課）

3．法人税額控除所得税額

(1) 個別法（所有期間から明らかに簡便法有利として省略可）

326,720円×$\dfrac{120,000株}{160,000株}$＋326,720円×$\dfrac{40,000株}{160,000株}$×$\dfrac{1}{12}$（0.084）＝251,901円

(2) 簡便法

326,720円×$\dfrac{120,000株＋(160,000株－120,000株)×\dfrac{1}{2}}{160,000株}$（0.875）＝285,880円

(3) (1)＜(2)　　∴　285,880円（仮計と合計の間で加・流）

解答への道

1．有価証券の譲渡原価が与えられずに、期末の帳簿価額が与えられたならば、期末の帳簿価額を通じて譲渡原価の調整を行うことになる。

2．有価証券の異動状況は、有価証券の譲渡原価の計算資料であるとともに、短期保有株式等及び控除所得税の計算資料であることに注意してほしい。本問では次のようになる。

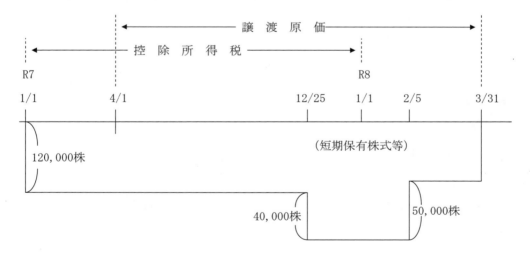

問　題　４　取得価額　　　　　　　　　　重要度　A

次の各事例について、当期（令和７年４月１日～令和８年３月31日）における税務上調整すべき金額を計算しなさい。

１．事例１

当社は、Ａ株式40,000株を１株450円で証券会社を通じて購入した。購入代価のほか、購入手数料を１株当たり10円及び名義書換料を同じく１円、通信事務費を2,000円支払い、Ａ株式の取得価額として18,442,000円を付した。

２．事例２

当社は、Ｂ株式の増資に際して有利発行に係る第３者割当を受けた10,000株について5,000,000円を払込み、Ｂ株式の取得価額として計上した。なお、Ｂ株式の払込期日における時価は１株当たり750円である。

３．事例３

当社は、当社の役員が所有していたＣ株式50,000株（時価10,000,000円）の贈与を受けた。なお、当社はＣ株式の取得について何ら処理していない。

解　答

１．事例１

調整なし

２．事例２

（750円－500円）×10,000株＝2,500,000円

有価証券計上もれ　　2,500,000円　（加・留）

３．事例３

有価証券計上もれ　　10,000,000円

解答への道

１．事例１

有価証券の購入手数料などの購入費用は取得価額に算入しなければならないが、通信費及び名義書換料は損金経理を要件に原価外処理できる。（令119①一、基通2-3-5）

本問では、取得価額に含めているので申告調整による損金計上は認められない。したがって調整なし。

2．事例2

　　株主以外の者が有利発行に係る払込により取得した場合には、払込期日の時価が取得価額とされるため、時価と払込金額との差額は一種の受贈益として課税される。（令119①四）

　　なお、本問の税務上の仕訳は次のようになり、有価証券計上もれ（加・留）の処理が行われる。

| （有　価　証　券） | 7,500,000円 | （現　　　　　金） | 5,000,000円 |
| | | （受　　贈　　益） | 2,500,000円 |

3．事例3

　　有価証券を無償により譲り受けた場合には、その譲受時の時価を取得価額とする。

問 題 5　期末評価①（売買目的有価証券）　　重要度 A

　　次の資料により、当社の当期（令和7年4月1日～令和8年3月31日）における税務調整すべき金額を計算しなさい。

1．当社は、有価証券の帳簿価額の算出方法の選定、届出を行っていない。

2．B株式（売買目的有価証券に該当する。）の当期中の異動状況は、次のとおりである。

日　　付	摘　要	株　数	単　価	金　額
令和7年4月1日	前期繰越	100株	@　90円	9,000円
7月10日	取　　得	500	@120	60,000
10月15日	譲　　渡	200	@140	28,000
令和8年2月20日	取　　得	300	@150	45,000

3．譲渡原価の計上は適正に行われている。

4．当期末の時価は@120円であるが、評価損益の計上は行っていない。

解 答

1．1株当たりの帳簿価額

(1) $\dfrac{9,000円＋60,000円}{100株＋500株}＝115円$

(2) $\dfrac{115円×400株＋45,000円}{400株＋300株}＝130円$

2．期末帳簿価額

　　120円×700株－130円×700株＝△7,000円　　　有価証券過大計上（減・留）

次の資料に基づき、当社の当期（令和7年4月1日～令和8年3月31日）における税務上調整すべき金額を計算しなさい。

1．当期中に内国法人から収受した配当等の額は次のとおりである。

銘　柄　等	内　容	配当等の計算期間		配当等の額	源泉徴収税額
A 社 株 式	剰余金の配当	自　令和7年1月1日	至　令和7年12月31日	800,000円	163,360円
B 社 株 式	剰余金の配当	自　令和7年1月1日	至　令和7年12月31日	600,000円	122,520円
C 社 社 債	社 債 利 子	自　令和7年6月15日	至　令和7年12月14日	50,000円	7,657円
銀 行 預 金	預 金 利 息	———		200,000円	30,630円

（注1）A社株式及びB社株式は、数年前に取得して以来、元本の異動はなく、売買目的外有価証券に該当する。なお、保有割合はいずれも5％以下である。

（注2）C社社債は、その元本の全部（額面10,000,000円、発行価額9,800,000円）を令和7年6月15日の発行時において、償還期限（令和12年6月14日）まで保有する目的で取得したものであり、売買目的外有価証券に該当する。なお、調整差損益の調整は月数により行うものとする。

（注3）源泉徴収税額には復興特別所得税が含まれている。

第5章　有価証券

解　答

1．有価証券の期末簿価（C社社債）

(1) 税務上　　9,800,000円＋(10,000,000円－9,800,000円)×$\dfrac{\overset{*}{6月}}{57月}$＝9,821,052円

＊　$\dfrac{10月}{10月＋51月}>\dfrac{6月}{6月＋51月}=\dfrac{6月}{57月}$　　　∴　$\dfrac{6月}{57月}$

(2) 会計上　　9,800,000円

(3) (1)－(2)＝21,052円　　　有価証券計上もれ（加・留）

2．受取配当等の益金不算入額

(1) 配当等の額　　800,000円＋600,000円＝1,400,000円

(2) 益金不算入額　　1,400,000円×20％＝280,000円（減・課）

3．法人税額控除所得税額

163,360円＋122,520円＋7,657円＋30,630円＝324,167円（仮計と合計の間で加・流）

解答への道

　　A社株式、B社株式及びC社社債は売買目的外有価証券に該当するため、時価法による評価損益を考える必要はない。ただし、C社社債は償還有価証券に該当するため調整差損益の認識を行う必要が生ずる。

第6章

減価償却（普通償却）

1 個別論点のチェック

項目	参照条文	問1	問2	問3	問4	問5	問6	問7	問8	問9	問10	問11	問12
1．償却費として損金経理した金額	法31①、④	○			○	○	○				○		
	基通7-5-1		○	○			○	○	○	○	○		
2．少額の減価償却資産	令133、基通7-1-11	○		○									○
3．一括償却資産	令133の2			○							○		
4．中小企業者等の少額減価償却資産	措法67の5			○									
5．法定償却方法	令53	○	○					○	○				
6．償却方法の変更	基通7-4-3～4										○		
7．期中供用資産	令59			○	○		○	○	○	○	○	○	
8．グルーピング	規19					○					○		
9．中古資産	耐令3、耐通1-5-6						○	○					
10．償却限度額の特例	令61					○					○		
11．資本的支出	令55、耐通1-1-2								○		○		
	基通7-8-1										○		
12．取得価額　購入	令54①一		○		○		○	○		○			
12．取得価額　広告宣伝用資産の受贈益	基通4-2-1～2									○	○		
12．取得価額　借入金の利子	基通7-3-1の2									○			
12．取得価額　原価不算入の租税公課	基通7-3-3の2									○			
12．取得価額　取得に際しての立退料	基通7-3-5									○			
12．取得価額　事後的に支出する費用	基通7-3-7									○			
12．取得価額　原価算入交際費	措通61の4(2)-7									○			
13．増加償却	令60、規20											○	
14．設立第1期	耐令4、5												○

2 他項目との関連

　減価償却とひとくちに言っても、①普通償却、②特殊償却、③特別償却と３つのテーマがあり、さらに圧縮記帳とも関係するので、法人税のなかでは最も出題範囲が広い分野である。減価償却はその性質上、ケアレスミスを犯しやすいため、各規定の内容を着実にマスターするとともにミスを克服するための対策を検討してほしい。なお、増加償却は特別償却との重複適用が認められている。

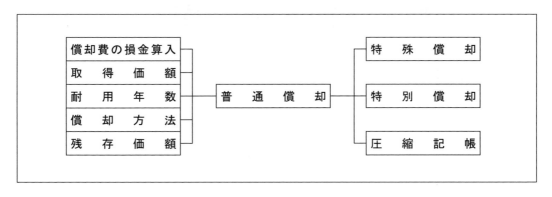

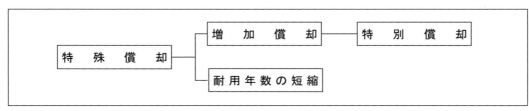

　次の資料により、当社の当期（令和７年４月１日～令和８年３月31日）における税務上調整すべき金額を算定しなさい。

１．当社は期末資本金３億円の青色申告法人であり、当社株主に法人株主はいない。

２．当期末における減価償却資産に関する事項は次のとおりである。なお、貸付けの用に供した資産はない。

種　類	取得価額	期首簿価	当期償却額	耐用年数	繰越償却超過額
建　物　Ａ	22,000,000円	3,400,000円	200,000円	50 年	―― 円
建　物　Ｂ	10,000,000	6,650,000	670,000	15	――
機 械 装 置	5,000,000	2,708,800	420,000	15	100,000
工　　　具	900,000	――	900,000	8	
特　許　権	800,000	728,000	72,000	8	――

（注１）建物Ａは、平成10年３月31日以前に、機械装置は平成19年３月31日以前に取得し事業供用したものである。

（注２）建物Ｂは平成19年４月１日以後に取得し、事業供用したものである。

（注３）工具は、当期に１個90,000円のものを10個取得したもので、通常１個で取引される。

（注４）特許権は、前期において取得したものであり償却不足額が28,000円生じている。

３．当社は、設立以来、償却方法の選定届出は行っていない。

４．耐用年数に応ずる償却率は、次のとおりである。

（1）平成19年３月31日以前に取得をされた減価償却資産の償却率表

耐　用　年　数	5年	8年	15年	50年
旧定額法償却率	0.200	0.125	0.066	0.020
旧定率法償却率	0.369	0.250	0.142	0.045

（2）減価償却資産の定額法、定率法（平成19年４月１日～平成24年３月31日取得分）の償却率、改定償却率及び保証率の表

耐　用　年　数	5年	8年	15年	50年
定 額 法 償 却 率	0.200	0.125	0.067	0.020
定 償 却 率	0.500	0.313	0.167	0.050
率 改定償却率	1.000	0.334	0.200	0.053
法 保 証 率	0.06249	0.05111	0.03217	0.01072

(3) 減価償却資産の定率法（平成24年4月1日以後取得分）の償却率、改定償却率及び保証
率の表

耐　用　年　数		5年	8年	15年	50年
定率法	償　却　率	0.400	0.250	0.133	0.040
	改定償却率	0.500	0.334	0.143	0.042
	保　証　率	0.10800	0.07909	0.04565	0.01440

解　答

1．建物Ａ減価償却超過額

200,000円－3,400,000円×0.045＝47,000円（加・留）

2．建物Ｂ

670,000円－10,000,000円×0.067＝ 0円　　　∴　是　認

3．機械装置減価償却超過額

420,000円－(2,708,800円＋100,000円)×0.142＝21,151円（加・留）

4．工　具

90,000円＜100,000円　　　∴　是　認

5．特許権減価償却超過額

72,000円－800,000円×0.125＝△28,000円　→　0円（処理なし）

解答への道

1．償却方法の選定届出を行っていないため、平成10年3月31日以前に取得した建物及び平成19年
3月31日以前に取得した機械装置は法定償却方法である旧定率法による。

2．旧定率法による限度額計算の基礎となる期首簿価は税法上の金額であるため、会社の期首簿価
に繰越償却超過額を加算してから計算する。（令62）

3．工具は取得価額が10万円未満の少額の減価償却資産であるため、損金経理を要件に一時の損金
算入が認められる。（令133、基通7-1-11）

4．特許権は、無形減価償却資産であるため、定額法により償却する。なお、前期以前の償却不足
額は一切使用しない。

| 問　題　2 | 期中供用資産と原価外処理した購入費用 | 重要度 | A |

　次の資料により、当社の当期（令和7年4月1日～令和8年3月31日）における税務上調整すべき金額を算定しなさい。

1．当社は期末資本金5億円の青色申告法人であり、当社株主に法人株主はいない。

2．当期末における減価償却資産に関する事項は、次のとおりである。なお、貸付けの用に供した資産はない。

種　　類	取得価額	当期償却額	期末簿価	耐用年数	事業供用日
A倉庫用建物	15,000,000円	150,000円	14,850,000円	14年	令8.2.9
B車両運搬具	1,500,000	420,000	1,080,000	6年	令7.8.3
C車両運搬具	2,200,000	410,000	1,790,000	5年	令7.12.22
D意　匠　権	2,000,000	120,000	1,880,000	7年	令7.11.20
E営　業　権	4,000,000	1,000,000	3,000,000	5年	令7.9.1
Fソフトウエア	1,800,000	1,800,000	――――	3年	令7.12.7

（注）A倉庫用建物は、令和8年1月20日に取得したものである。なお、購入に際して支出した仲介手数料500,000円は費用処理した。

3．当社は、設立以来償却方法の選定及び届出を行っていない。

4．減価償却資産の定額法、定率法（平成24年4月1日以後取得分）の償却率、改定償却率及び保証率の表

耐用年数	定額法償却率	定　　　　率　　　　法		
		償却率	改定償却率	保証率
3	0.334	0.667	1.000	0.11089
5	0.200	0.400	0.500	0.10800
6	0.167	0.333	0.334	0.09911
7	0.143	0.286	0.334	0.08680
14	0.072	0.143	0.167	0.04854

解　答

1．A倉庫用建物減価償却超過額

$$(150,000円+500,000円)-(15,000,000円+500,000円)\times0.072\times\frac{2}{12}=464,000円$$
（加・留）

2．車両運搬具減価償却超過額

　B車両運搬具

(1) 償却限度額

① 1,500,000円×0.333＝499,500円

② 1,500,000円×0.09911＝148,665円

③ ①≧② ∴ 499,500円

④ 499,500円×$\frac{8}{12}$＝333,000円

(2) 償却超過額

420,000円－333,000円＝87,000円（加・留）

C 車両運搬具

(1) 償却限度額

① 2,200,000円×0.400＝880,000円

② 2,200,000円×0.10800＝237,600円

③ ①≧② ∴ 880,000円

④ 880,000円×$\frac{4}{12}$＝293,333円

(2) 償却超過額

410,000円－293,333円＝116,667円（加・留）

3．D意匠権減価償却超過額

120,000円－2,000,000円×0.143×$\frac{5}{12}$＝834円（加・留）

4．E営業権減価償却超過額

1,000,000円－4,000,000円×0.200×$\frac{7}{12}$＝533,334円（加・留）

5．Fソフトウエア減価償却超過額

1,800,000円－1,800,000円×0.334×$\frac{4}{12}$＝1,599,600円（加・留）

> 解答への道

1．平成19年4月1日以後取得した建物については、定額法によらなければならない。また、償却
　方法の選定届出を行っていないため車両運搬具については法定償却方法である定率法による。

（令48の2①一、令53②）

2．購入に際して支出した仲介手数料は購入費用として取得価額を構成するので、限度額計算上は
　取得価額に含めて取扱い、超過額の算出上は償却費として損金経理した金額として取扱う。

（令54①一、基通7-5-1(1)）

　次の資料により、〔設問1〕及び〔設問2〕の場合の当社の当期（令和7年4月1日〜令和8年3月31日）の税務上調整すべき金額を算定しなさい。なお、当社の従業者数は500人以下である。

〔設問1〕　当社が青色申告書を提出している中小企業者等に該当する法人である場合

〔設問2〕　当社が青色申告書を提出している中小企業者等以外の法人に該当する場合

1．当社は、従来より、減価償却資産の減価償却について定率法を選定している。

2．当社は、当期中に次の減価償却資産を取得し事業の用に供したので、これらの取得価額の全額を消耗品費等として費用に計上している。なお、貸付けの用に供した資産はない。

区　　　分	取 得 年 月 日 （事業供用年月日）	取得価額	法定耐用年数	備　　　　　　　考
応接セットA （1セット）	令 8. 3. 1 （令 8. 3. 10）	420,000円	8年	本社応接室の応接セットを新調した。
応接セットB （1セット）	令 8. 3. 5 （令 8. 3. 10）	180,000円	8年	工場事務室用として購入した。
事 務 机 C （1セット）	令 8. 3. 5 （令 8. 3. 10）	130,000円	8年	
冷 蔵 庫 D （1　台）	令 8. 3. 6 （令 8. 3. 10）	170,000円	6年	
そ の 他 の 器 具 備 品 E	令 8. 3. 6 （令 8. 3. 25）	180,000円	8年	1個又は1組の取得価額が100,000円以上のものはない。
会計ソフトF （1　個）	令 7. 10. 5 （令 7. 10. 6）	90,000円	5年	

（注）減価償却資産の定額法、定率法（平成24年4月1日以後取得分）の償却率、改定償却率及び保証率の表

耐 用 年 数	5年	6年	8年
定 額 法 償 却 率	0.200	0.167	0.125
定　償 却 率	0.400	0.333	0.250
率　改 定 償 却 率	0.500	0.334	0.334
法　保 証 率	0.10800	0.09911	0.07909

第6章　減価償却（普通償却）

解　答

〔設問1〕

1．減価償却超過額

(1) 応接セットA

① 償却限度額

イ．420,000円×0.250＝105,000円

ロ．420,000円×0.07909＝33,217円

ハ．イ≧ロ　　∴　105,000円

ニ．105,000円×$\dfrac{1}{12}$＝8,750円

② 償却超過額

420,000円－8,750円＝411,250円（加・留）

(2) 応接セットB、事務机C、冷蔵庫D

① 180,000円＜300,000円、130,000円＜300,000円、170,000円＜300,000円

② 180,000円＋130,000円＋170,000円＝480,000円≦3,000,000円×$\dfrac{12}{12}$　　∴　是認

(3) その他の器具備品E、会計ソフトF

取得価額が10万円未満　　∴　是認

〔設問2〕

1．減価償却超過額

(1) 応接セットA

① 償却限度額

イ．420,000円×0.250＝105,000円

ロ．420,000円×0.07909＝33,217円

ハ．イ≧ロ　　∴　105,000円

ニ．105,000円×$\dfrac{1}{12}$＝8,750円

② 償却超過額

420,000円－8,750円＝411,250円（加・留）

(2) その他の器具備品E、会計ソフトF

取得価額が10万円未満　　∴　是認

2．一括償却資産損金算入限度超過額

応接セットB、事務机C、冷蔵庫D

(180,000円＋130,000円＋170,000円)－(180,000円＋130,000円＋170,000円)×$\dfrac{12}{36}$

＝320,000円（加・留）

〔設問1〕

　中小企業者等（従業者数500人以下）が取得した取得価額10万円以上30万円未満の減価償却資産については取得価額の合計額で年300万円を限度として、取得価額の全額を損金算入することができる。（措法67の5）

〔設問2〕

　取得価額が20万円未満の減価償却資産については、一括償却を適用する。（令133の2）

問 題 4　グルーピング

重 要 度　B

次の資料により、当社の当期（令和7年4月1日～令和8年3月31日）の税務上調整すべき金額を算定しなさい。

1. 当社は期末資本金3億円の青色申告法人であり、当社株主に法人株主はいない。

2. 当期末における減価償却資産及び償却の状況は、次のとおりである。なお、貸付けの用に供した資産はない。

（単位：円）

種　類	構造・用途・細目	耐用年数	償却方法	取得価額	当期償却額	期首簿価	事業供用日
A構築物	鉄塔	40年	定額	6,000,000	100,000	——	令 8. 1.13
B機械装置	金属製品製造設備	10年	定率	18,000,000	3,300,000	16,000,000	前 期 以 前
C機械装置	同　上	10年	定率	25,000,000	2,500,000	——	令 7.10. 2
D車　両	乗用車	6年	定額	1,800,000	260,000	1,531,080	前 期 以 前
E車　両	貨物車	5年	定額	2,500,000	550,000	2,225,000	前 期 以 前
F器具備品	放送設備	6年	定率	1,500,000	240,000	——	令 7.12. 9
G器具備品	同　上	6年	定率	1,260,000	380,000	——	令 7.11.26

(1) BとC及びFとGは、それぞれ同一の構造・用途（設備の種類）・細目に属している。

(2) B機械装置は平成24年4月1日以後に取得したものであり、繰越償却超過額が125,000円ある。

(3) E車両には、繰越償却超過額が25,000円ある。

(4) G器具備品を建物に取り付ける際に支出した費用300,000円は損金経理している。

3. 減価償却資産の定額法、定率法（平成24年4月1日以後取得分）の償却率、改定償却率及び保証率の表

耐　用　年　数	5 年	6 年	10年	40年
定 額 法 償 却 率	0.200	0.167	0.100	0.025
定率法 償 却 率	0.400	0.333	0.200	0.050
定率法 改 定 償 却 率	0.500	0.334	0.250	0.053
定率法 保 証 率	0.10800	0.09911	0.06552	0.01791

解　答

1．A構築物減価償却超過額

$$100,000円－6,000,000円×0.025×\frac{3}{12}=62,500円（加・留）$$

2．B・C機械装置減価償却超過額

(1) 償却限度額

① B機械装置

イ．(16,000,000円＋125,000円)×0.200＝3,225,000円

ロ．18,000,000円×0.06552＝1,179,360円

ハ．イ≧ロ　　　∴　3,225,000円

② C機械装置

イ．25,000,000円×0.200＝5,000,000円

ロ．25,000,000円×0.06552＝1,638,000円

ハ．イ≧ロ　　　∴　$5,000,000円×\frac{6}{12}=2,500,000円$

③　3,225,000円＋2,500,000円＝5,725,000円

(2) 償却超過額

(3,300,000円＋2,500,000円)－5,725,000円＝75,000円（加・留）

3．車両減価償却超過額

D　260,000円－1,800,000円×0.167＝△40,600円　→　0（処理なし）

E　550,000円－2,500,000円×0.200＝50,000円（加・留）

4．F・G器具備品減価償却超過額

(1) 償却限度額

① F器具備品

イ．1,500,000円×0.333＝499,500円

ロ．1,500,000円×0.09911＝148,665円

ハ．イ≧ロ　　　∴　$499,500円×\frac{4}{12}=166,500円$

② G器具備品

イ．（1,260,000円＋300,000円）×0.333＝519,480円

ロ．（1,260,000円＋300,000円）×0.09911＝154,611円

ハ．イ≧ロ　∴　519,480円×$\frac{5}{12}$＝216,450円

③　166,500円＋216,450円＝382,950円

(2) 償却超過額

（240,000円＋380,000円＋300,000円）－382,950円＝537,050円　（加・留）

解答への道

１．機械装置BとC及び器具備品FとGは、①設備の種類又は構造・用途・細目、②償却方法、③耐用年数が同一であるため、償却限度額のグルーピングが行われる。（規19）

２．車両は定額法により償却を行っているため、繰越償却超過額は限度額計算に影響しない。

３．Gを建物に取り付ける費用は、事業供用費用として取得価額を構成するので、限度額計算上は取得価額に含めて取扱い、超過額の算出上は償却費として損金経理した金額として取扱う。

（令54①一、基通7-5-1(1)）

問 題 5　償却可能限度額　　　　重要度　B

次の資料により、当社の当期（令和７年４月１日～令和８年３月31日）及び翌期（令和８年４月１日～令和９年３月31日）における税務上調整すべき金額を計算しなさい。

１．当社は期末資本金３億円の青色申告法人であり、当社株主に法人株主はいない。

２．当期における減価償却資産の償却の明細は、次のとおりである。

種　類	構造・用途等	耐用年数	償却方法（償却率）	取得価額	当　期償却額	期末簿価	繰越償却超過額
建　物	店舗・鉄筋コンクリート造	39年	旧定額法(0.026)	円30,000,000	円702,000	円798,000	円——
構築物	下水道・石造	35年	旧定額法(0.029)	10,000,000	100,000	500,000	82,000
車　両	乗　用　車	6年	旧定率法(0.319)	1,500,000	32,500	69,500	——

（注）建物は、前期において償却可能限度額に達している。

３．翌期に減価償却費として建物は200,000円、構築物は500,000円、車両は30,000円を計上している。

1．当期の処理

(1) 建物減価償却超過額

$$702,000円－(30,000,000円×5％－1円)×\frac{12}{60}＝402,001円（加・留）$$

(2) 構築物減価償却超過額認容

① 限度額

$10,000,000円×0.9×0.029＝261,000円$

$(500,000円＋100,000円＋82,000円)－10,000,000円×5％＝182,000円$ $\left.\right\}$少　∴　182,000円

② 認　容　$100,000円－182,000円＝△82,000円$

$82,000円$ $\left.\right\}$少　　∴　82,000円（減・留）

(3) 車両減価償却超過額

① 限度額　$(32,500円＋69,500円)×0.319＝32,538円$

$(32,500円＋69,500円)－1,500,000円×5％＝27,000円$ $\left.\right\}$少　∴　27,000円

② 超過額　$32,500円－27,000円＝5,500円（加・留）$

2．翌期の処理

(1) 建物減価償却超過額認容

$200,000円－(30,000,000円×5％－1円)×\frac{12}{60}＝△99,999円$

$402,001円$ $\left.\right\}$少　∴　99,999円（減・留）

(2) 構築物減価償却超過額

$$500,000円－(10,000,000円×5％－1円)×\frac{12}{60}＝400,001円（加・留）$$

(3) 車両減価償却超過額

$$30,000円－(1,500,000円×5％－1円)×\frac{12}{60}＝15,001円（加・留）$$

解答への道

　平成19年3月31日以前に取得をされた有形減価償却資産の償却可能限度額は以下のとおりとなる。

(1) 償却可能限度額95％に達するまでの事業年度

① 通常の場合の償却限度額
② 期首帳簿価額 － 取得価額 × 5％
③ ①と②のいずれか少ない方

(2) 償却可能限度額に達した翌事業年度以後の償却計算

$$（取得価額×5％－1円）×\frac{その事業年度の月数}{60}$$

次の資料により、当社の当期（令和7年4月1日〜令和8年3月31日）における税務上調整すべき金額を算定しなさい。

1．当社は期末資本金5億円の青色申告法人であり、当社株主に法人株主はいない。

2．当期に留意すべき減価償却資産の明細は、次のとおりである。なお、貸付けの用に供した資産はない。

種　類	構造・用途・細目	取得価額	当期償却額	期末簿価	耐用年数
A工　　具	測　定　工　具	1,000,000	180,000	820,000	5年
B器具備品	冷　房　機　器	2,500,000	600,000	1,900,000	6年
C器具備品	金属製キャビネット	2,200,000	400,000	1,800,000	15年

（注1）A工具は、法定耐用年数5年のうち4年経過したものを当期の9月10日に取得し、事業の用に供するにあたって300,000円の資本的支出（雑費として処理）をした上で、当期の12月16日より事業の用に供している。

（注2）B器具備品は、法定耐用年数6年のうち2年経過したものを当期の12月6日に取得し、同日から事業の用に供している。

（注3）C器具備品は、法定耐用年数15年のうち5年経過したものを当期の6月18日に取得し、同日から事業の用に供した。なお、当社に搬入するに際して支払った引取運賃70,000円は運送費として処理した。

（注4）当社は、減価償却資産の償却方法として工具については定額法を、器具備品については定率法を選定し届け出ている。

3．中古資産に係る残存使用可能期間を見積ることは困難である。

4．耐用年数に応ずる償却率等は次のとおりである。

耐用年数	定額法償却率	定　率　法		
		償却率	改定償却率	保証率
2	0.500	1.000	――	――
4	0.250	0.500	1.000	0.12499
5	0.200	0.400	0.500	0.10800
6	0.167	0.333	0.334	0.09911
10	0.100	0.200	0.250	0.06552
11	0.091	0.182	0.200	0.05992
12	0.084	0.167	0.200	0.05566
15	0.067	0.133	0.143	0.04565

第6章　減価償却（普通償却）

1．A工具減価償却超過額

(1) 耐用年数　　1,000,000円×50%≧300,000円

　　　　　　　∴（5年－4年）＋4年×20%＝1.8年＜2年　→　2年

(2) 償却超過額

　　（180,000円＋300,000円）－（1,000,000円＋300,000円）×0.500×$\frac{4}{12}$＝263,334円（加・留）

2．器具備品減価償却超過額

(1) B器具備品

　① 耐用年数　（6年－2年）＋2年×20%＝4.4年　→　4年

　② 償却限度額

　　イ．2,500,000円×0.500＝1,250,000円

　　ロ．2,500,000円×0.12499＝312,475円

　　ハ．イ≧ロ　　　∴　1,250,000円

　　ニ．1,250,000円×$\frac{4}{12}$＝416,666円

　③ 償却超過額

　　　600,000円－416,666円＝183,334円（加・留）

(2) C器具備品

　① 耐用年数　（15年－5年）＋5年×20%＝11年

　② 償却限度額

　　イ．（2,200,000円＋70,000円）×0.182＝413,140円

　　ロ．（2,200,000円＋70,000円）×0.05992＝136,018円

　　ハ．イ≧ロ　　　∴　413,140円

　　ニ．413,140円×$\frac{10}{12}$＝344,283円

　③ 償却超過額

　　　（400,000円＋70,000円）－344,283円＝125,717円（加・留）

解答への道

1．中古資産は法定耐用年数によらず残存使用可能期間により償却できる。（耐令3①）

2．残存使用可能期間の見積りが困難な中古資産で、資本的支出の額≦取得価額×50%のものは、次の算式により耐用年数を算出する。

　① 法定耐用年数の全部を経過したもの

　　法定耐用年数×20%

② 法定耐用年数の一部を経過したもの

（法定耐用年数－経過年数）＋経過年数×20％

3．上記2により計算した年数の1年未満の端数は切り捨て、その年数が2年未満のときは2年と
する。

4．資本的支出の額について会社が損金経理している場合には、償却費として損金経理した金額と
して取り扱う。（基通7-5-1(3)）

5．原価外処理した引取運賃は、購入に係る購入費用として取得価額を構成するとともに償却費と
して損金経理した金額となる。（令54①一、基通7-5-1(1)）

問題 7 　中古資産②　　　　　　　　重要度 C

次の資料により、当社の当期（令和7年4月1日～令和8年3月31日）における税務上調整
すべき金額を計算しなさい。

1．当社は期末資本金3億円の青色申告法人であり、当社株主に法人株主はいない。

2．当期における減価償却資産及び償却の明細は、次のとおりである。なお、貸付けの用に供
した資産はない。

種　　　類	構造・用途等	取得価額	当期償却額	期末簿価	法定耐用年数
建　　　物	鉄骨造・工場	5,400,000円	200,000円	5,200,000円	24年
機械装置A	食料品製造設備	2,000,000	350,000	1,650,000	10年
機械装置B	飲料製造設備	500,000	100,000	400,000	10年

（注1）建物は、当期の2月に7年を経過した中古建物を5,400,000円で購入したものである
が、同月より事業の用に供するにあたり、避難階段の取付費用3,600,000円を支出して
損金経理している。なお、この建物を新築するとすれば10,000,000円を要する。

（注2）機械装置A及びBは、当期の12月に取得した中古資産であり、同月より事業の用に供
している。機械装置Aは3年6月、機械装置Bは4年をそれぞれ経過しており、機械装
置Bの事業供用にあたっては資本的支出1,600,000円を支出して損金経理している。な
お、機械装置Bの再取得価額は3,000,000円である。

3．上記中古資産の残存使用可能期間を見積ることは困難である。

4．当社は、設立以来、減価償却資産の償却方法の選定届出書を提出していない。

5．耐用年数に応ずる償却率は、次のとおりである。

(1) 平成19年３月31日以前に取得をされた減価償却資産の償却率表

耐　用　年　数	7年	9年	10年	13年	18年	20年	24年
旧定額法償却率	0.142	0.111	0.100	0.076	0.055	0.050	0.042
旧定率法償却率	0.280	0.226	0.206	0.162	0.120	0.109	0.092

(2) 平成19年４月１日～平成24年３月31日に取得をされた減価償却資産の償却率、改定償却率及び保証率の表

耐　用　年　数		7年	9年	10年	13年	18年	20年	24年
定　額　法　償　却　率		0.143	0.112	0.100	0.077	0.056	0.050	0.042
定	償　却　率	0.357	0.278	0.250	0.192	0.139	0.125	0.104
率	改定償却率	0.500	0.334	0.334	0.200	0.143	0.143	0.112
法	保　証　率	0.05496	0.04731	0.04448	0.03633	0.02757	0.02517	0.02157

(3) 平成24年４月１日以後に取得をされた減価償却資産の定率法の償却率、改定償却率及び保証率の表

耐　用　年　数		7年	9年	10年	13年	18年	20年	24年
定	償　却　率	0.286	0.222	0.200	0.154	0.111	0.100	0.083
率	改定償却率	0.334	0.250	0.250	0.167	0.112	0.112	0.084
法	保　証　率	0.08680	0.07126	0.06552	0.05180	0.03884	0.03486	0.02969

解　答

1．建物減価償却超過額

(1) 耐用年数

5,400,000円×50%＜3,600,000円≦10,000,000円×50%

∴ $(5,400,000円＋3,600,000円)÷\left[\dfrac{5,400,000円}{18年^{*}}＋\dfrac{3,600,000円}{24年}\right]＝20年$

＊ （24年－７年）＋７年×20%＝18.4年　→　18年

(2) 償却超過額

$(200,000円＋3,600,000円)－(5,400,000円＋3,600,000円)×0.050×\dfrac{2}{12}＝3,725,000円$
（加・留）

2．機械装置減価償却超過額

(1) 機械装置Ａ

① 耐用年数

（10年－3.5年）＋3.5年×20%＝7.2年　→　７年

② 償却限度額

イ．2,000,000円×0.286＝572,000円

ロ．2,000,000円×0.08680＝173,600円

ハ．イ≧ロ　∴　572,000円

ニ．572,000円×$\frac{4}{12}$＝190,666円

③　償却超過額

350,000円－190,666円＝159,334円（加・留）

(2) 機械装置B

①　耐用年数

1,600,000円＞3,000,000円×50%　∴　10年

②　償却限度額

イ．（500,000円＋1,600,000円）×0.200＝420,000円

ロ．（500,000円＋1,600,000円）×0.06552＝137,592円

ハ．イ≧ロ　∴　420,000円

ニ．420,000円×$\frac{4}{12}$＝140,000円

③　償却超過額

（100,000円＋1,600,000円）－140,000円＝1,560,000円（加・留）

解答への道

1．残存使用可能期間の見積りが困難な中古資産の事業供用にあたり、取得価額の50%を超え、かつ再取得価額の50%以下の資本的支出が行われた場合には、次の加重平均法により残存使用可能期間を算定する。（耐通1-5-6）

$$（取得価額A＋資本的支出の額B）÷\left[\frac{A}{簡便法による見積耐用年数}＋\frac{B}{法定耐用年数}\right]$$

＝1年未満切捨

2．平成19年4月1日以後に取得した建物については、定額法によらなければならない。

（令48の2①一）

3．機械装置Bについては、資本的支出の額が中古資産の再取得価額の50%相当額を超えるので法定耐用年数によらねばならない。（耐通1-5-2）

問題 8　資本的支出　　重 要 度　C

次の資料により、当社の当期（令和7年4月1日～令和8年3月31日）における税務上調整すべき金額を計算しなさい。

1．当社は期末資本金5億円の青色申告法人であり、当社株主に法人株主はいない。

2．当社は、設立以来、減価償却資産に関する償却方法の選定届出をしていない。

3．当期末における減価償却資産に関する事項で、注意すべき点は次のとおりである。

種類・構造等		耐用年数	取得価額	当期首減価償却累計額	当期償却額	備　考
金属造・工場		20年	円 25,000,000	円 6,500,000	円 1,184,000	繰越償却超過額が700,000円ある。
機械装置	ゴム製品製造設備	9年	18,000,000	7,820,000	2,400,000	
	木製品製造設備	8年	13,000,000	——	1,625,000	令和 7.11.15事業供用

(1) 工場（平成10年3月31日以前取得）の老朽化が激しいので、令和7年11月28日に4,000,000円をかけて修理しており、全額を修繕費として費用処理した。但し、修繕費とした4,000,000円のうち1,800,000円は資本的支出と認められる。

(2) ゴム製品製造設備（平成19年3月31日以前取得・事業供用）は、部品の大幅取替えを令和7年7月19日に行っており、そのための費用3,200,000円を修繕費として処理したが、この設備の修繕前後の状況を調査したところ、1,200,000円が資本的支出に該当することが判明した。

(3) 木製品製造設備を使用するにあたり、試運転及び操作指導のために支払った費用500,000円は雑費として処理した。

4．減価償却資産の耐用年数に応ずる償却率は、次のとおりである。

(1) 平成19年3月31日以前に取得をされた減価償却資産の償却率表

耐　用　年　数	8年	9年	20年
旧定額法償却率	0.125	0.111	0.050
旧定率法償却率	0.250	0.226	0.109

(2) 減価償却資産の定額法、定率法（平成24年4月1日以後取得分）の償却率、改定償却率及び保証率の表

耐　用　年　数		8年	9年	20年
定額法償却率		0.125	0.112	0.050
定率法	償却率	0.250	0.222	0.100
	改定償却率	0.334	0.250	0.112
	保証率	0.07909	0.07126	0.03486

解　答

1．建物減価償却超過額

(1) 資本的支出を新たな資産の取得とする場合

①イ．$\{25,000,000円－(6,500,000円－700,000円)\}×0.109＝2,092,800円$

　　ロ．$1,184,000円－2,092,800円＝△908,800円＞700,000円$　　∴　700,000円（認容）

②イ．$1,800,000円×0.050×\dfrac{5}{12}＝37,500円$

　　ロ．$1,800,000円－37,500円＝1,762,500円$

③　$①＋②＝1,062,500円$

(2) 資本的支出を旧資産の取得価額に加算する場合

①　$\{25,000,000円－(6,500,000円－700,000円)\}×0.109＋1,800,000円×0.109×\dfrac{5}{12}$

　　$＝2,174,550円$

②　$(1,184,000円＋1,800,000円)－2,174,550円＝809,450円$

(3) (1)＞(2)　　　∴　809,450円（加・留）

2．ゴム製品製造設備（減価償却超過額）

(1) 資本的支出を新たな資産の取得とする場合

①イ．$(18,000,000円－7,820,000円)×0.226＝2,300,680円$

　　ロ．$2,400,000円－2,300,680円＝99,320円$

②イ．$1,200,000円×0.222＝266,400円$

　　ロ．$1,200,000円×0.07126＝85,512円$

　　ハ．イ≧ロ　　　∴　266,400円

　　ニ．$266,400円×\dfrac{9}{12}＝199,800円$

　　ホ．$1,200,000円－199,800円＝1,000,200円$

③　$①＋②＝1,099,520円$

(2) 資本的支出を旧資産の取得価額に加算する場合

①　$(18,000,000円－7,820,000円)×0.226＋1,200,000円×0.226×\dfrac{9}{12}＝2,504,080円$

②　$(2,400,000円＋1,200,000円)－2,504,080円＝1,095,920円$

(3) (1)＞(2)　　　∴　取得価額に加算有利

　　1,095,920円（加・留）

3．木製品製造設備（減価償却超過額）

(1) 償却限度額

①　$(13,000,000円＋500,000円)×0.250＝3,375,000円$

②　$(13,000,000円＋500,000円)×0.07909＝1,067,715円$

③　①≧②　　　∴　3,375,000円

④　$3,375,000円×\dfrac{5}{12}＝1,406,250円$

(2) 償却超過額

    (1,625,000円＋500,000円)－1,406,250円＝718,750円（加・留）

解答への道

1．減価償却資産に資本的支出をした場合には、その有する減価償却資産と種類及び耐用年数を同じくする減価償却資産を新たに取得したものとする。ただし、その減価償却資産の償却方法が旧定額法又は旧定率法によっている場合には、その減価償却資産の取得価額に加算することもできる。つまり、次のように考えればよい。

> 平成19年３月31日以前に取得をされた減価償却資産について資本的支出をした場合の調整
> 次のいずれか少ない方の金額を別表４で減価償却超過額として加算する。
>
> イ．資本的支出を新たな資産の取得とする場合
>
>   (イ)　本体の損金経理償却費　－　本体の償却限度額（旧定額法又は旧定率法）
>
>   (ロ)　資本的支出の損金経理額　－　資本的支出の償却限度額（定額法又は定率法）
>
>   (ハ)　(イ)＋(ロ)
>
> ロ．資本的支出を旧資産の取得価額に加算する場合
>
>   （本体の損金経理償却費＋資本的支出の損金経理額）－（本体の償却限度額＋資本的支出
> の償却限度額）＊
>
>   ＊　本体、資本的支出ともに旧定額法又は旧定率法による
>
> ハ．イとロのいずれか少ない方

2．費用計上している資本的支出は、償却費として損金経理した金額となる。（基通7-5-1(3)）

問 題 9	取得価額と受贈益	重 要 度	C

> 　次の資料により、当社の当期（令和７年４月１日～令和８年３月31日）における税務上調整すべき金額を計算しなさい。
>
> 1．減価償却の方法として選定し届け出た方法は、建物については定額法、その他の資産については定率法である。

２．減価償却資産に関する資料は次のとおりである。なお、貸付けの用に供した資産はない。

	種類・構造等	耐用年数（償却率）	取得価額	当期償却額	事業供用日	備　　考
建物	鉄筋造工場	24年	円 46,800,000	円 550,000	令 8. 2.12	前期から建設中のものが当期に完成した。
	木造事務所	18年	8,000,000	420,000	令 7. 8.27	この建物は中古建物であり、残存使用可能期間は18年と見積られる。
器具備品	陳列ケース	8年	450,000	200,000	令 7. 6.13	いずれもＴＡＣ工業から譲受けたものであり、ＴＡＣ工業の製品名が表示されている。ＴＡＣ工業における取得価額は、陳列ケース210万円、看板が30万円である。
	看　　板	3年	0	0	令 7.12. 9	

(1) 鉄筋造工場の取得価額に計上されている金額には次のものが含まれている。

① 上棟式費用　　　3,100,000円

② 登録免許税　　　1,200,000円

③ 不動産取得税　　1,500,000円

(2) 上記(1)のほか鉄筋造工場に係る次の金額が諸費用として処理されている。

① 落成式費用　　　2,800,000円

② 使用開始前の期間に係る借入金利子　　200,000円

(3) 木造事務所を購入するに際して前居住者に支払った立退料1,000,000円は、雑費として処理した。

３．当社の期末資本金額は２億円である。

４．減価償却資産の定額法、定率法（平成24年４月１日以後取得分）の償却率、改定償却率及び保証率の表

耐　用　年　数	3年	8年	18年	24年
定額法償却率	0.334	0.125	0.056	0.042
定率法 償　却　率	0.667	0.250	0.111	0.083
改定償却率	1.000	0.334	0.112	0.084
保　証　率	0.11089	0.07909	0.03884	0.02969

第6章 減価償却（普通償却）

1. **建物減価償却超過額**

   (1) 鉄筋造工場

   $$550,000円-46,800,000円\times0.042\times\frac{2}{12}=222,400円（加・留）$$

   (2) 木造事務所

   $$(1,000,000円+420,000円)-(8,000,000円+1,000,000円)\times0.056\times\frac{8}{12}=1,084,000円$$
   $$（加・留）$$

2. **器具備品減価償却超過額（陳列ケース）**

   (1) 判 定

   $$2,100,000円\times\frac{2}{3}-450,000円=950,000円>300,000円 \qquad \therefore \quad 受贈益あり$$

   (2) 償却限度額

   ① $(450,000円+950,000円)\times0.250=350,000円$

   ② $(450,000円+950,000円)\times0.07909=110,726円$

   ③ ①≧② ∴ $350,000円$

   ④ $350,000円\times\dfrac{10}{12}=291,666円$

   (3) 償却超過額

   $$(200,000円+950,000円)-291,666円=858,334円（加・留）$$

1. 不動産取得税及び登録免許税は取得価額に算入しないことができるが、取得価額に算入した場合は申告調整で損金算入することはできない。（基通7-3-3の2）

2. 建物の取得後に行う落成式費用は、取得価額に算入しないことができる。これに対して、上棟式の費用は取得価額に算入する。（基通7-3-7）

3. 固定資産を取得するための借入金の利子は、たとえ使用開始前の期間に係るものであっても取得価額に算入しないことができる。（基通7-3-1の2）

4. 建物の取得に際して支払った前居住者に対する立退料は、建物の取得価額に算入する。

   （基通7-3-5）

5. 広告宣伝用資産の贈与を受けた場合には、次の金額（30万円以下のときはないものとする。）が受贈益となり、減価償却の基礎となる取得価額に加算する。なお、看板、ネオンサイン、どん帳等の広告宣伝専用資産には受贈益は発生しない。（基通4-2-1）

   ※ 製造業者等の取得価額$\times\dfrac{2}{3}-$負担額＝受贈益

6. 受贈益が未計上の場合には、償却費として損金経理した金額として取扱う。（基通7-5-1(4)）

　　次の資料により、当社の当期（令和７年４月１日～令和８年３月31日）における税務上調整すべき金額を計算しなさい。

１．当社は期末資本金５億円の青色申告法人であり、当社株主に法人株主はいない。

２．減価償却の方法として選定し届け出た方法は、建物及び構築物は旧定額法又は定額法、その他は旧定率法又は定率法である。

３．減価償却資産に関する明細は次のとおりである。なお、貸付けの用に供した資産はない。

区　　　　分		耐用年数	取得価額	当期首減価償却累計額	当期償却額	備　　考
			円	円	円	H19.3.31以前事業供用
建物	石造・事務所	41年	16,000,000	7,050,000	370,000	繰越償却超過額が350,000円ある。
	鉄骨造・工場A	24年	13,100,000	——	209,000	R8.1.24事業供用
	鉄骨造・工場B	24年	20,000,000	840,000	600,000	R6.4.10事業供用　工場Aと同一の構造・用途・細目に属している。
建物附属設備	エレベーター	17年	3,500,000	——	70,000	R8.2.21事業供用
構築物	広　告　塔	20年	1,200,000	1,110,000	54,000	H19.3.31以前事業供用
	れんが造へい	25年	1,500,000	1,425,000	54,000	H19.3.31以前事業供用
車両	乗　用　車　C	6年	1,800,000	——	200,000	R7.12.1事業供用
	乗　用　車　D	6年	300,000	——	80,000	R7.6.12事業供用
無形固定資産	実用新案権	5年	2,600,000	——	210,000	R7.11.28事業供用
	管理用ソフト	5年	180,000	——	180,000	R7.5.1事業供用
機械	印　刷　設　備	10年	5,000,000	3,400,000	600,000	H19.3.31以前事業供用

（注１）石造事務所について、次に掲げる内容の改修を令和７年８月３日に行っており、いずれも修繕費として費用に計上した。

　　　①　雨漏りしていた屋根瓦の取替え費用　　　　　　　　　　　　900,000円

　　　②　腐食していた窓枠の取替え費用　　　　　　　　　　　　　　500,000円

　　　③　防音性を高めるための二重床及び二重窓の取付工事の費用　4,000,000円

（注２）鉄骨造工場Aは、既に12年を経過した中古建物を8,100,000円で購入したもので事業

の用に供するにあたり、①基礎骨組の補強費用5,000,000円、②模様替え等改装費用2,000,000円を支出している。①は取得価額に、②は修繕費として処理した。

この工場を新築すれば20,000,000円を要すると認められる。

（注3）エレベーターは、既に3年6月を経過した中古資産で、工場Aに据付ける費用600,000円を支出し、雑費として処理した。

（注4）れんが造へいは、前期に取得価額の95％相当額まで減価償却が行われている。

（注5）乗用車C及びDの構造・用途・細目は同一であるが、そのうち、乗用車Dは仕入先ＴＡＣ工業から上記の金額で譲受けたもので、この乗用車にはＴＡＣ工業の製品名が表示されており、広告宣伝を目的としていることが明らかである。ＴＡＣ工業におけるこの乗用車の購入価額は1,440,000円である。

（注6）実用新案権の取得を斡旋した得意先神田商店に支払った手数料100,000円は、支払手数料として費用に計上した。

（注7）機械の前期までの償却方法は旧定率法を選定し届け出ていたが、当期から旧定額法に変更することとし、適法に変更申請書を提出して所轄税務署長の承認を受けている。

4．中古資産の残存使用可能期間を見積ることは困難である。

5．耐用年数に応ずる償却率等は次のとおりである。

耐用年数	定額法償却率	200％定率法			耐用年数	旧定額法償却率	旧定率法償却率
		償却率	改定償却率	保証率			
5	0.200	0.400	0.500	0.10800	5	0.200	0.369
6	0.167	0.333	0.334	0.09911	6	0.166	0.319
7	0.143	0.286	0.334	0.08680	7	0.142	0.280
10	0.100	0.200	0.250	0.06552	10	0.100	0.206
13	0.077	0.154	0.167	0.05180	13	0.076	0.162
14	0.072	0.143	0.167	0.04854	14	0.071	0.152
17	0.059	0.118	0.125	0.04038	17	0.058	0.127
20	0.050	0.100	0.112	0.03486	20	0.050	0.109
24	0.042	0.083	0.084	0.02969	24	0.042	0.092
25	0.040	0.080	0.084	0.02841	25	0.040	0.088
41	0.025	0.049	0.050	0.01741	41	0.025	0.055

6．旧定率法未償却残額表（耐用年数10年）

経過年数	1年	2年	3年	4年	5年
未償却残額割合	0.794	0.631	0.501	0.398	0.316

1．石造事務所

（1）資本的支出を新たな資産の取得とする場合

①イ．16,000,000円×0.9×0.025＝360,000円

　ロ．370,000円－360,000円＝10,000円

②イ．4,000,000円×0.025×$\frac{8}{12}$＝66,666円

　ロ．4,000,000円－66,666円＝3,933,334円

③　①＋②＝3,943,334円

（2）資本的支出を旧資産の取得価額に加算する場合

①　16,000,000円×0.9×0.025＋4,000,000円×0.9×0.025×$\frac{8}{12}$＝420,000円

②　（370,000円＋4,000,000円）－420,000円＝3,950,000円

（3）（1）＜（2）　　∴　新たな取得有利

①　本　体……………　10,000円（加・留）

②　資本的支出……3,933,334円（加・留）

2．鉄骨造・工場A

（1）耐用年数　　　8,100,000円×50%＜$\underbrace{5,000,000円＋2,000,000円}_{7,000,000円}$≦20,000,000円×50%

∴　（8,100,000円＋7,000,000円）÷$\left[\frac{8,100,000円}{*14年}＋\frac{7,000,000円}{24年}\right]$＝17.3年　→　17年

＊　（24年－12年）＋12年×20%＝14.4年　→　14年

（2）償却限度額

（13,100,000円＋2,000,000円）×0.059×$\frac{3}{12}$＝222,725円

（3）償却超過額　（2,000,000円＋209,000円）－222,725円＝1,986,275円（加・留）

3．鉄骨造・工場B

（1）償却限度額　20,000,000円×0.042＝840,000円

（2）償却超過額　600,000円－840,000円＝△240,000円　→　0（処理なし）

4．エレベーター

（1）耐用年数　　　（17年－3年6月）＋3年6月×20%＝14.2年　→　14年

（2）償却限度額

（3,500,000円＋600,000円）×0.072×$\frac{2}{12}$＝49,200円

（3）償却超過額　（600,000円＋70,000円）－49,200円＝620,800円（加・留）

5．広告塔

(1) 償却限度額

$1,200,000円 × 0.9 × 0.050 = 54,000円$

$(1,200,000円 - 1,110,000円) - 1,200,000円 × 5\% = 30,000円$ 〉少　　∴　30,000円

(2) 償却超過額　$54,000円 - 30,000円 = 24,000円$（加・留）

6．れんが造へい

(1) 償却限度額　$(1,500,000円 × 5\% - 1円) × \dfrac{12}{60} = 14,999円$

(2) 償却超過額　$54,000円 - 14,999円 = 39,001円$（加・留）

7．乗用車C・D

(1) 判　定（乗用車D）

$1,440,000円 × \dfrac{2}{3} - 300,000円 = 660,000円 > 300,000円$　　∴　受贈益あり

(2) 償却限度額（グルーピング）

①　乗用車C

イ．$1,800,000円 × 0.333 = 599,400円$

ロ．$1,800,000円 × 0.09911 = 178,398円$

ハ．イ≧ロ　　∴　$599,400円 × \dfrac{4}{12} = 199,800円$

②　乗用車D

イ．$(300,000円 + 660,000円) × 0.333 = 319,680円$

ロ．$(300,000円 + 660,000円) × 0.09911 = 95,145円$

ハ．イ≧ロ　　∴　$319,680円 × \dfrac{10}{12} = 266,400円$

③　$199,800円 + 266,400円 = 466,200円$

(3) 償却超過額

$(200,000円 + 80,000円 + 660,000円) - 466,200円 = 473,800円$（加・留）

8．実用新案権

(1) 償却限度額　$(2,600,000円 + 100,000円) × 0.200 × \dfrac{5}{12} = 225,000円$

(2) 償却超過額　$(210,000円 + 100,000円) - 225,000円 = 85,000円$（加・留）

9．管理用ソフト

(1) 限度額

$180,000円 × \dfrac{12}{36} = 60,000円$

(2) 一括償却資産損金算入限度超過額

$180,000円 - 60,000円 = 120,000円$（加・留）

10. 印刷設備

(1) 耐用年数　$\dfrac{5,000,000円-3,400,000円}{5,000,000円}=0.320 \rightarrow 5$ 年　　　10年－5年＝5年

(2) 償却限度額　$(1,600,000円-5,000,000円\times10\%)\times0.200=220,000円$

(3) 償却超過額　$600,000円-220,000円=380,000円$（加・留）

解答への道

1. 事務所の改修費用のうち二重床及び二重窓の取付費用は、建物の価値を高めているので、資本的支出とされる。（基通7-8-1）

2. 鉄骨造工場AとBは、Aにつき中古資産の見積耐用年数を使用するため、グルーピングすることはできない。（規19）

3. 平成28年4月1日以後取得した建物附属設備及び構築物の償却方法は定額法となる。したがって、エレベーター（建物附属設備）は従前の選定・届出にかかわらず定額法により償却する。

4. 管理用ソフトの取得価額は20万円未満であるため、一括償却の適用を行う。

5. 旧定率法から旧定額法に変更した場合の償却限度額の計算は下記の算式による。（基通7-4-4）

　　（期首帳簿価額－取得価額×10%）×旧定額法償却率＝償却限度額

　　この場合、法定耐用年数に応ずる旧定額法償却率を原則とするが、下記の方法により求めた年数に応じた旧定額法償却率によることができる。

　　　法定耐用年数－経過年数*＝改訂耐用年数

　　　$*$　$\dfrac{期首帳簿価額}{取得価額}=$　未償却残額割合（小数第4位四捨五入）　→　算出後、旧定率法未償却残額表により経過年数を求める。（1年未満切上）

　　なお、旧定額法から旧定率法に変更した場合の償却限度額計算は、下記の算式により計算する。

（基通7-4-3）

　　　期首帳簿価額×法定耐用年数による旧定率法償却率＝償却限度額

　　次の資料により、当社（資本金１億円の中小企業者に該当する。）の当期（令和７年４月１日～令和８年３月31日）における税務上調整すべき金額を計算しなさい。

１．機械装置に関する償却明細表は、次のとおりである。なお、貸付けの用に供した資産はない。

区　分	耐用年数	償却方法	取得価額	当期償却額	期末簿価	備　　考
機　械（新品）	14年	定率法	円13,000,000	円5,000,000	円8,000,000	令8.1.19事業供用

２．機械は、租税特別措置法第42条の６に規定する特定機械装置等に該当する。

３．当社は、受注が増加したことに伴い、上記機械について平均的な使用時間を超えて使用しており、法人税法施行令第60条の規定により増加償却を行うことにしている。

　　なお、当期中の１日当たりの超過使用時間数は、3.2時間である。

４．当社は設立以来、減価償却資産に関する償却方法の選定・届出をしていない。

５．耐用年数14年の定率法償却率は0.143、改定償却率は0.167、保証率は0.04854である。

解 答

１．増加償却割合

$3.2時間 \times \dfrac{35}{1,000} = 0.112 \rightarrow 0.12 \geqq 10\%$ 　　　　∴　増加償却適用あり

２．減価償却超過額

(1) 償却限度額

① 13,000,000円×0.143＝1,859,000円

② 13,000,000円×0.04854＝631,020円

③ ①≧② 　　∴ 　1,859,000円

④ $1,859,000円 \times \dfrac{3}{12} \times (1 + 0.12) + 13,000,000円 \times 30\% = 4,420,520円$

(2) 償却超過額

5,000,000円－4,420,520円＝579,480円（加・留）

解答への道

1. 増加償却割合は、1日当たりの超過使用時間に$\dfrac{35}{1,000}$を乗じたもので、小数点2位未満を切上げる。この割合が10%未満のときには、増加償却は適用されない。（令60、規20①）

2. 増加償却と租税特別措置法上の特別償却は併用することができる。

問 題 12 **設立第1期**　　　　　　　　　重 要 度 C

> 次の資料により、当社の設立事業年度における税務上調整すべき金額を計算しなさい。
>
> 1. 当社は令和7年7月1日に設立された資本金2億円の法人（株主はすべて個人である。）であり、定款において設立事業年度は7月1日から翌年3月31日までとし、その後は毎年4月1日から翌年3月31日とする旨が定められている。
>
> 2. 当社は令和7年8月31日までに、法人税法第148条に規定する設立に関する届出書に所定の書類を添付し、これを納税地の所轄税務署長に提出している。また、上記届出書の提出と同時に、法人税法第122条に規定する青色申告の承認の申請書を提出したが、設立事業年度終了の日までに承認又は却下の処分は受けていない。
>
> 3. 当期末に有する減価償却資産等で税務調整について検討すべきものは、次のとおりである。なお、貸付けの用に供した資産はない。

種　　　類	償却方法	取得価額	当期償却額	法定耐用年数	事業供用日
建　物　A	定額法	35,000,000円	945,000円	38年	令和7年7月1日
建　物　B	定額法	20,000,000円	756,000円	24年	令和7年10月18日
機械装置	定率法	8,000,000円	1,648,000円	10年	令和7年11月1日
器具備品C	定率法	1,500,000円	375,000円	8年	令和8年1月10日
器具備品D	定率法	80,000円	80,000円	6年	令和8年3月5日

> 4. 平成19年4月1日以後に取得をされた減価償却資産の償却率、改定償却率及び保証率の表

耐用年数	定額法償却率	定　率　法		
		償却率	改定償却率	保証率
6	0.167	0.333	0.334	0.09911
8	0.125	0.250	0.334	0.07909
10	0.100	0.200	0.250	0.06552
24	0.042	0.083	0.084	0.02969
38	0.027	0.053	0.056	0.01882

解　答

1．建物A

(1) 償却率の改訂

$$0.027 \times \frac{9}{12} = 0.02025 \;\rightarrow\; 0.021 \;（3位未満切上）$$

(2) 償却超過額

945,000円－35,000,000円×0.021＝210,000円　（加・留）

2．建物B

(1) 償却率の改訂

$$0.042 \times \frac{9}{12} = 0.0315 \;\rightarrow\; 0.032 \;（3位未満切上）$$

(2) 償却超過額

$$756,000円 － 20,000,000円 \times 0.032 \times \frac{6}{9} = 329,334円 \;（加・留）$$

3．機械装置

(1) 償却率の改訂及び償却限度額

① 8,000,000円×0.200＝1,600,000円

② 8,000,000円×0.06552＝524,160円

③ ①≧②　　∴　$0.200 \times \dfrac{9}{12} = 0.150$

④ $8,000,000円 \times 0.150 \times \dfrac{5}{9} = 666,666円$

(2) 償却超過額

1,648,000円－666,666円＝981,334円　（加・留）

4．器具備品C

(1) 償却率の改訂及び償却限度額

① 1,500,000円×0.250＝375,000円

② 1,500,000円×0.07909＝118,635円

③ ①≧②　　∴　$0.250 \times \dfrac{9}{12} = 0.1875 \;\rightarrow\; 0.188 \;（3位未満切上）$

④ $1,500,000円 \times 0.188 \times \dfrac{3}{9} = 94,000円$

(2) 償却超過額

375,000円－94,000円＝281,000円　（加・留）

5．器具備品D

80,000円＜100,000円　　　∴　是認

解答への道

法人の事業年度が1年に満たない場合における償却率は、次のとおりである。（耐令4、5）

なお、定率法の場合の償却保証額との比較は、通常の償却率による。

(1) 償却率

$$償却率 \times \frac{当期の月数}{12} = （3位未満切上）$$

(2) 償却限度額

$$取得価額 \times (1)の償却率 \times \frac{事業供用月数}{当期の月数}$$

第6章 減価償却（普通償却）

MEMO

第7章

減価償却（特別償却）

1　個別論点のチェック

項　　目	参照条文	問1	問2	問3
１．特定機械装置等の特別償却	措法42の6①	○		
２．特定経営力向上設備等の特別償却	措法42の12の4①		○	
３．特別償却不足額の繰越し	措法52の2			○

2　他項目との関連

　特別償却は制度の数は非常に多いが、本試験に出題されやすいものを中心に出題してみた。

　特別償却制度は、租税特別措置法に規定されているため、法人税法上の圧縮記帳との重複適用は認められているが、租税特別措置法上の圧縮記帳との重複適用は認められていない。また、特別償却制度は増加償却との重複適用は認められている。

重要度 | A

　次の資料により、当社の当期（令和7年4月1日～令和8年3月31日）における税務上調整すべき金額を算定しなさい。

1．当期における機械装置の償却の状況は次のとおりである。

区　　　分	耐用年数	取得価額	当期償却額	期末簿価	備　　　　考
機械装置（甲）	10年	円 7,500,000	円 1,000,000	円 1,850,000	令6.4.5事業供用 繰越償却超過額が 900,000円ある。
機械装置（乙）	10年	3,100,000	1,100,000	2,000,000	令7.12.15事業供用

　(1) 機械装置（甲）と（乙）の設備の種類・細目は同一であり、いずれも租税特別措置法第42条の6に規定する特定機械装置等に該当する。当社は特別償却を適用する。

　(2) 機械装置（乙）を購入するにあたり支出した関税300,000円は、租税公課として費用に計上した。

2．当社は機械装置の償却方法として定率法を選定している。

3．当社は、精密機械の製造業を営む期末資本金5千万円の青色申告法人である。当社の発行済株式の総数は100,000株であり、その保有状況は次のとおりである。

　　第1順位の株主　A株式会社（資本金2億円）　35,000株
　　第2順位の株主　B株式会社（資本金1億円）　25,000株
　　第3順位の株主　C株式会社（資本金3億円）　20,000株
　　第4順位の株主　D　個　人　　　　　　　　　15,000株
　　第5順位の株主　E株式会社（資本金8千万円）　5,000株

4．平成24年4月1日以後に取得をされた減価償却資産の定率法の償却率、改定償却率及び保証率の表

耐用年数	定　　率　　法		
	償却率	改定償却率	保証率
10	0.200	0.250	0.06552

解　答

1．中小企業者の判定

　　①　35,000株（A）＜100,000株×$\frac{1}{2}$

②　35,000株（A）＋20,000株（C）＝55,000株＜100,000株×$\frac{2}{3}$　　　∴　該当する

２．機械装置（甲）減価償却超過額

（1）償却限度額

① 　(1,850,000円＋1,000,000円＋900,000円)×0.200＝750,000円

② 　7,500,000円×0.06552＝491,400円

③ 　①≧②　　∴　750,000円

（2）償却超過額

1,000,000円－750,000円＝250,000円（加・留）

３．機械装置（乙）減価償却超過額

（1）償却限度額

① 　(3,100,000円＋300,000円)×0.200＝680,000円

② 　(3,100,000円＋300,000円)×0.06552＝222,768円

③ 　①≧②　　∴　680,000円

④ 　680,000円×$\frac{4}{12}$＋(3,100,000円＋300,000円)×30%＝1,246,666円

（2）償却超過額

(1,100,000円＋300,000円)－1,246,666円＝153,334円（加・留）

解答への道

１．特定機械装置等の特別償却の適用を受けることができる法人は、資本金1億円以下の青色申告法人で、かつ、発行済株式等の$\frac{1}{2}$以上が同一の大規模法人（資本金1億円超又は大法人による完全支配関係がある普通法人等）の所有に属している法人又は発行済株式等の$\frac{2}{3}$以上が複数の大規模法人の所有に属している法人以外の法人に限られている。（措法42の6①）

　なお、当社は資本金が3,000万円超の法人であるため特別控除の適用はない。（措法42の6②）

２．甲と乙の設備の種類・細目は同一であるが、乙に特別償却の適用があるため、グルーピングを適用することはできない。（措通42の5〜48(共)−1）

３．乙を購入するにあたり支出した関税は、購入に係る付随費用として取得価額を構成するので限度額計算上は取得価額に含めて取扱い、超過額の算出上は償却費として損金経理した金額として取扱う。（令54①一、基通7-5-1(1)）

　次の資料により、当社の当期（令和7年4月1日～令和8年3月31日）における税務調整すべき金額を算定しなさい。なお、当社は、青色申告書を提出する中小企業者等で、中小企業等経営強化法の認定を受けたものであり、資本金は30,000,000円である。

(1) 当期中に取得し、租税特別措置法第42条の12の4の適用対象となる特定経営力向上設備等は次のとおりであり、定額法を選定している。

種　　類	取得価額	取得・事業供用日	定額法償却率
機 械 装 置	3,000,000円	令和7年7月15日	0.125

(2) 当社は上記資産につき取得価額の全額を当期に減価償却費として計上しており、特別償却の適用を受けるものとする。

解　答

1．機械装置

(1) 償却限度額

① 普通償却限度額

$$3,000,000円 \times 0.125 \times \frac{9}{12} = 281,250円$$

② 特別償却限度額

3,000,000円 － 281,250円 ＝ 2,718,750円

③ ①＋② ＝ 3,000,000円

(2) 償却超過額

3,000,000円 － 3,000,000円 ＝ 0円 → 処理なし

解答への道

　当社は青色申告書を提出する中小企業者等のうち中小企業等経営強化法の認定を受けたものであるため、特定経営力向上設備等の特別償却又は特別控除の適用を受けることができる。特定経営力控除設備等の特別償却は即時償却であるため、取得価額から普通償却限度額を控除した残額が特別償却限度額となる。なお、本問においては問題文の指示により特別償却の適用を受けることとなる。

　次の資料により、当社の当期（令和７年４月１日～令和８年３月31日）における税務上調整すべき金額を算定しなさい。

１．当社は、期末資本金８千万円の製造業を営む青色申告法人であり、当社株主に法人株主はいない。

２．機械装置の償却方法は定率法であり、当期における償却の状況は次のとおりである。

区　分	耐用年数 （償却率）	取得価額	期首簿価	当期償却額	備　考
家具製造設備	11年	円 15,000,000	円 7,825,000	円 3,000,000	令6.4.20事業供用 繰越償却不足額が55,000円ある。
同　上	11年	20,000,000	——	12,000,000	令7.10.15事業供用

（注１）繰越償却不足額55,000円は、前期に租税特別措置法第42条の６第１項に規定する特定機械装置等を取得した場合の特別償却を実施した際に生じたものである。

（注２）期中に事業供用した家具製造設備は、租税特別措置法第42条の６に規定する特定機械装置等に該当するものであり、特別償却の適用を受ける。

３．当期に家具製造の注文が増加したため、超過操業を実施しており、法人税法施行令第60条の規定により増加償却を行うことになった。２の製造設備に係る当期中の１日当たりの超過使用時間は3.5時間である。

４．平成24年４月１日以後に取得をされた減価償却資産の定率法の償却率、改定償却率及び保証率の表

耐用 年数	定　率　法		
	償却率	改定償却率	保証率
11	0.182	0.200	0.05992

解 答

1．前期取得分減価償却超過額

(1) 増加償却割合

$$3.5時間 \times \frac{35}{1,000} = 0.1225 \rightarrow 0.13 \geqq 10\% \qquad \therefore \quad 増加償却適用あり$$

(2) 償却限度額

① （7,825,000円－55,000円）×0.182＝1,414,140円

② 15,000,000円×0.05992＝898,800円

③ ①≧② ∴ 1,414,140円

④ 1,414,140円×（1＋0.13）＋55,000円＝1,652,978円

(3) 償却超過額

3,000,000円－1,652,978円＝1,347,022円（加・留）

2．当期取得分

(1) 償却限度額

① 20,000,000円×0.182＝3,640,000円

② 20,000,000円×0.05992＝1,198,400円

③ ①≧② ∴ 3,640,000円

④ $3,640,000円 \times \dfrac{6}{12} \times （1＋0.13）＋20,000,000円 \times 30\% ＝8,056,600円$

(2) 償却超過額

12,000,000円－8,056,600円＝3,943,400円（加・留）

解答への道

1．増加償却は租税特別措置法上の特別償却と重複適用することが認められている。このため、普通償却限度額＋増加償却限度額＋特別償却限度額が本問の償却限度額となる。（令60）

2．定率法を採用している資産につき特別償却不足額が生じている場合には、普通償却限度額の計算上使用する期首簿価から特別償却不足額を控除して計算する。（措令30②）

3．当社は特定中小企業者等（資本金3,000万円以下の中小企業者等）に該当しないため、特別控除を適用することはできない。したがって、問題文に選択の指示がなくても、特別償却の適用を受けることになる。

第8章

特別償却準備金

1 個別論点のチェック

項　　　目	参照条文	問1	問2
1．特定機械装置等の特別償却	措法52の3、42の6①		○
2．特定経営力向上設備等の特別償却	措法52の3、42の12の4①	○	
3．特別償却準備金積立不足額の繰越し	措法52の3		○

2 他項目との関連

　特別償却は、各資産ごとに償却限度額を計算することからグルーピングは一切行わない。特別償却準備金は帳簿価額に影響しないので、普通償却とは切り離して考える。したがって、要件を満たせば普通償却部分のグルーピングが可能である。

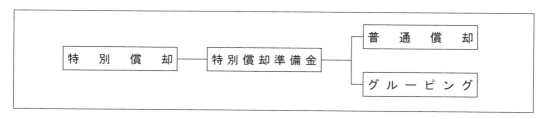

　次の資料により、当社の当期（令和7年4月1日〜令和8年3月31日）における税務上調整すべき金額を計算しなさい。

1．当社は、青色申告書を提出する中小企業者等で、中小企業等経営強化法の認定を受けたものであり、資本金は30,000,000円である。

2．所得の金額の計算上考慮すべき減価償却資産に関する資料は、次のとおりであり、これ以外は適正額を償却費として計上している。

種　類　等	取得価額	期首簿価	当期償却額	取得日	事業供用日
	円	円	円		
機 械 装 置 A	35,000,000	——	3,281,250	令 7. 7.10	令 7. 7.24
機 械 装 置 B	28,000,000	26,250,000	3,500,000	前期	前期
合　　　計	63,000,000	26,250,000	6,781,250	——	——

（注1）機械装置A、Bの設備の種類、細目は同一であり、耐用年数は8年である。

（注2）機械装置Aは、租税特別措置法第42条の12の4に規定する特定経営力向上設備等に該当する。

3．機械装置Aに対する特別償却準備金として35,000,000円を損金経理により計上した。

4．当社は、減価償却資産の償却方法として定額法を選定し届け出ている。なお、償却率は次のとおりである。

　　定額法　耐用年数8年……0.125

5．前期（令和6年4月1日〜令和7年3月31日）に損金経理により機械装置Bについて特別償却準備金として積み立てた金額は26,250,000円（税務上の適正額である。）であり、当期においては取崩しの処理を失念している。

解　答

1. 機械装置Ａ・Ｂ減価償却超過額

（1）償却限度額

① 機械装置Ａ

$$35,000,000円×0.125×\frac{9}{12}=3,281,250円$$

② 機械装置Ｂ

$$28,000,000円×0.125=3,500,000円$$

③ ①＋②＝6,781,250円

（2）償却超過額

6,781,250円－6,781,250円＝0円　→　処理なし

2. 特別償却準備金

（1）積立（機械装置Ａ）

35,000,000円－（35,000,000円－3,281,250円）＝3,281,250円（加・留）

（2）取崩（機械装置Ｂ）

$$26,250,000円×\frac{12}{60}-0円=5,250,000円（加・留）$$

解答への道

1. 特別償却を準備金方式によった場合には、普通償却部分についてグルーピングを適用することができる。

2. 特別償却の対象資産の耐用年数が10年未満の場合には、積立により損金の額に算入された金額にその事業年度の月数を乗じこれに60と耐用年数に12を乗じた数とのいずれか少ない数で除して計算した金額を取り崩して益金の額に算入する。（措法52の3⑤）

第8章

特別償却準備金

　次の資料により、当社の当期（令和7年4月1日～令和8年3月31日）における税務上調整すべき金額を計算しなさい。

	種類・構造等	耐用年数 (償却率)	取得価額	期首簿価	当期償却額	事　業 供用日
機械装置	パルプ 製造設備A	12年	円 20,000,000	円 18,960,000	円 3,500,000	令6.5.15
	パルプ 製造設備B	12年	14,500,000	――	1,268,000	令7.11.1

(1) 機械装置はいずれも租税特別措置法第42条の6《中小企業者等が機械等を取得した場合の特別償却又は法人税額の特別控除》に規定する特定機械装置等に該当する。

(2) パルプ製造設備Aについては、前期に5,000,000円の特別償却準備金を損金経理により積み立てているが、その際に積立不足額が1,000,000円生じている。

(3) パルプ製造設備Bについて据付費500,000円を支出しているが、雑費として当期の費用に計上した。

(4) パルプ製造設備A・Bは、設備の種類及び細目が同一のものである。

(5) 当期に損金経理により、パルプ製造設備については6,000,000円（内訳：パルプ製造設備A　1,200,000円、パルプ製造設備B　4,800,000円）をそれぞれ特別償却準備金として積み立てた。

(6) 減価償却の方法として選定し届け出た方法は、定率法である。

(7) 当社は青色申告書を提出する中小企業者等に該当する。

(8) 平成24年4月1日以後に取得をされた減価償却資産の定率法の償却率、改定償却率及び保証率の表

耐用 年数	定　　　率　　　法		
	償却率	改定償却率	保証率
12	0.167	0.200	0.05566

解 答

1. 機械装置減価償却超過額

(1) パルプ　製造設備A

① 18,960,000円×0.167＝3,166,320円

② 20,000,000円×0.05566＝1,113,200円

③ ①≧②　　∴　3,166,320円

(2) パルプ　製造設備B

① (14,500,000円＋500,000円)×0.167＝2,505,000円

② (14,500,000円＋500,000円)×0.05566＝834,900円

③ ①≧②　　∴　$2,505,000円×\dfrac{5}{12}＝1,043,750円$

(3) 3,166,320円＋1,043,750円＝4,210,070円

(4) {3,500,000円＋(1,268,000円＋500,000円)}－4,210,070円＝1,057,930円（加・留）

2. 特別償却準備金

(1) 取崩不足額　$5,000,000円×\dfrac{12}{84}＝714,285円$（加・留）

(2) 積立超過額

① 機械装置A

1,200,000円－1,000,000円＝200,000円（加・留）

② 機械装置B

4,800,000円－(14,500,000円＋500,000円)×30％＝300,000円（加・留）

解答への道

1. 特別償却準備金は、普通償却とは完全に切離して計算するので、特別償却準備金の積立不足額が繰越されていても普通償却の計算に影響しない。

2. 特別償却を実施しなかったことにより生じた積立不足額を明細書に特別償却準備金の積立不足額として記載しているときは、その積立不足額は翌1年間繰越すことができる。

（措通42の5〜48（共)-2）

第8章

特別償却準備金

— MEMO —

第9章

繰 延 資 産

1 個別論点のチェック

項　目		参照条文	問1	問2	問3	問4
1.	償却費として損金経理した金額	法32①⑥、令65	○			
		基通8－3－2		○	○	○
2. 少 額 繰 延 資 産		令134、基通8－3－8		○	○	
3. 会 計 上 の 繰 延 資 産		令14①一〜五、令64①	○			
4. 税法独自の繰延資産	公 共 的 施 設 の 負 担 金	基通8－1－3		○		○
	共 同 的 施 設 の 負 担 金	基通8－1－4		○	○	
		基通8－2－4		○	○	○
	資 産 賃 借 の 権 利 金 等	基通8－1－5		○	○	
	ノ ウ ハ ウ の 頭 金 等	基通8－1－6		○		
	広告宣伝用資産の贈与費用	基通8－1－8		○	○	
	出 版 権 の 設 定 の 対 価	基通8－1－10		○		
	同 業 者 団 体 等 の 加 入 金	基通8－1－11		○	○	
5. 簡 易 な 施 設 の 負 担 金		基通8－1－13		○		
6. 分 割 払 い の 繰 延 資 産		基通8－3－3〜4				○
7. 建 設 未 着 手 の 繰 延 資 産		基通8－3－5		○		○
8. 対 象 資 産 の 滅 失 等		基通8－3－6		○		
9. 償　却　期　間		基通8－2－3		○	○	○

2 他項目との関連

　繰延資産それ自体は、範囲に難解な部分はないので、他項目との区分は容易である。正解を算出できるか否かは、もっぱら償却期間を覚えているかどうかにかかっているので、償却期間を中心に学習してほしい。

　繰延資産は他項目との関係があまりない項目であるが、繰延資産のうち、広告宣伝用資産の贈与費用は受贈側では受贈益と減価償却が問題となるため注意してほしい。

　会計上の繰延資産　　　　　　　　　　　　　　　　重 要 度　A

　次の各事例について、当期（令和7年4月1日〜令和8年3月31日）における税務上調整すべき金額を計算しなさい。

1．事例1

　当社は、当期に新製品の市場開拓のため特別に支出した費用が10,000,000円ある。決算において、この金額を開発費として繰延資産に計上し、そのうち2,000,000円を損金経理により償却した。

2．事例2

　当社は当期において増資を行い、株式を交付するために要する費用630,000円を令和7年8月20日に支出した。

　当社は、このうち、210,000円を費用として処理し、残額420,000円は「株式交付費」として繰延資産に計上している。

解　答

1．事例1　　　　　是認
2．事例2　　　　　是認

解答への道

　任意償却の繰延資産は、会社の償却をそのまま税法上も認めるため、税務上の調整は生じない。

　税法独自の繰延資産　　　　　　　　　　　　　　　重 要 度　A

　次の資料により、当社の当期（令和7年4月1日〜令和8年3月31日）における税務上調整すべき金額を計算しなさい。

1．公共的施設等の設置負担金等

（1）　もっぱら自己の製品を運搬するために使用されている当社工場前の道路を舗装するためA市にその負担金として6,000,000円を令和7年12月5日に支出し、全額を損金経理している。なお、この道路舗装の耐用年数は15年である。

（2）　当社は、地元商店街が行う共同の日よけ（耐用年数15年）の設置にあたり80,000円が割当てられたため、令和7年8月1日にその全額を支払い雑費として処理した。

（3）　当期に事業遂行の必要性から、自己の工場に通ずる県道の舗装（耐用年数15年）をB

県に要請し、その工事負担金として15,000,000円を令和8年1月20日に支出し、全額を損金経理している。なお、この県道は一般の人々も通行の用に供している。

(4) 令和6年7月20日に当社の所属する協会の会館の建設負担金（本来の用に供されるもの）として900,000円を支払い、その全額を協会に対する会費として費用に計上していたところ、この会館は当期に火災により全焼した。

　　なお、この会費に関しては前期の確定申告に際して適法に処理されており、会館の法定耐用年数は22年である。

(5) 当社は、令和7年10月30日に県が行う街灯設置（県道）の負担金として750,000円を損金経理により支出した。なお、この県道は主として一般公衆の便益に供されるものであり、この街灯設備の耐用年数は10年である。

(6) 当社は、商店街の共同のすずらん灯（耐用年数6年）に関する建設負担金として割当てられた1,500,000円を令和7年9月9日に支出した。このすずらん灯は、令和8年2月15日に建設着手した後、同年4月12日に完成している。

　　当社は、負担金1,500,000円を繰延資産に計上するとともに、当期分として300,000円を償却した。

2．資産を賃借するための権利金等

(1) 当社は、C地区に営業所を開設するためビルの一室を賃借したが、その権利金として1,600,000円を令和8年3月1日に支出し、その全額を建物賃借料として費用処理した。契約期間は8年で、更新時には新たに一時金を支払う約定になっている。

(2) 令和7年10月5日に事務所用建物をD氏から賃借するに際し、権利金2,000,000円を支払い、このうち4分の1の500,000円を権利金の償却として費用に計上した。このほか、前居住者に対する立退料として300,000円、不動産業者に対する仲介料50,000円を支払っているが、全額を雑費として処理した。

① 賃借期間は4年で、契約更新時には改めて権利金を支払う場合には、どうなるか。

② ①で契約更新時に再び権利金の支払を要しないことが明らかであるときは、どうなるか。

(3) 令和8年2月10日にE社からオフィス・コンピューターを3年契約で賃借し、次の金額を支払って損金経理した。このオフィス・コンピューターの耐用年数は4年である。

① 取引運賃　900,000円　② 関　税　50,000円　③ 据付費　400,000円

3．役務提供を受けるための権利金等

　　令和7年9月16日にF社とノウハウの供与契約を締結し、頭金として3,000,000円を支払った。使用料はその契約日からの製品出来高に応じて支払うことになっており、その契約期間は7年（契約更新時に更新料を支払うことが明らかである。）である。

　　当社は、頭金のうち2,000,000円を長期前払費用とし、1,000,000円を一般管理費として処

理した。

４．広告宣伝用資産の贈与費用

　令和７年９月10日に当社製品名入りのネオンサインを得意先Ｇ社に寄贈し、その取得価額480,000円を広告宣伝費として経理している。このネオンサインの耐用年数は３年である。

５．その他の費用

(1)　令和７年７月18日に当社が所属したＨ振興会（社交団体ではない。）に対して、入会金1,000,000円を支払い、諸会費として費用に計上した。この入会金は、他に譲渡できるものではなく、また出資の性格を有するものではないので脱退に際して返還されない。

(2)　当社製品に人気漫画の主人公をマークすることになり、著作者の許諾を得るために一時金900,000円を令和８年２月11日に支出し、手数料として費用処理した。このマーク使用に関しては特に存続期間の定めはない。

解　答

１．公共的施設等の設置負担金等

(1) ①　償却期間　　$15年 \times \dfrac{7}{10} = 10.5 \ \rightarrow \ 10年$

　　 ②　超　過　額　　$6,000,000円 - 6,000,000円 \times \dfrac{4}{10 \times 12} = 5,800,000円$（加・留）

(2) 80,000円＜200,000円　　　∴　是認

(3) ①　償却期間　　$15年 \times \dfrac{4}{10} = 6年$

　　 ②　超　過　額　　$15,000,000円 - 15,000,000円 \times \dfrac{3}{6 \times 12} = 14,375,000円$（加・留）

(4) ①　償却期間　　$22年 \times \dfrac{7}{10} = 15.4 \ \rightarrow \ 15年 ＞ 10年$　　　∴　10年

　　 ②　認　容　額　　$0 - (900,000円 - 900,000円 \times \dfrac{9}{10 \times 12}) = \triangle 832,500円$（減・留）

(5) 是認

(6) ①　償却期間　　$5年 ＜ 6年$　　　∴　5年

　　 ②　超　過　額　　$300,000円 - 1,500,000円 \times \dfrac{2}{5 \times 12} = 250,000円$（加・留）

２．資産を賃借するための権利金等

(1) ①　償却期間　　5年

　　 ②　超　過　額　　$1,600,000円 - 1,600,000円 \times \dfrac{1}{5 \times 12} = 1,573,334円$（加・留）

(2) ①イ．償却期間　　$5年 ＞ 4年$　　　∴　4年

$\quad$ ロ．超　過　額　$(500,000円＋300,000円)－(2,000,000円＋300,000円)\times\dfrac{6}{4\times12}$

$\qquad\qquad\qquad＝512,500円$（加・留）

$②イ．償却期間　5年$

$\quad$ ロ．超　過　額　$(500,000円＋300,000円)－(2,000,000円＋300,000円)\times\dfrac{6}{5\times12}$

$\qquad\qquad\qquad＝570,000円$（加・留）

$(3)①$　償却期間　$4年\times\dfrac{7}{10}＝2.8\rightarrow2年<3年\qquad\therefore\quad2年$

$\quad②$　超　過　額　$1,350,000円－\overset{*}{1,350,000}円\times\dfrac{2}{2\times12}＝1,237,500円$（加・留）

$\qquad\qquad*\quad900,000円＋50,000円＋400,000円＝1,350,000円$

3．役務提供を受けるための権利金等

$①$　償却期間　$5年$

$②$　超　過　額　$1,000,000円－3,000,000円\times\dfrac{7}{5\times12}＝650,000円$（加・留）

4．広告宣伝用資産の贈与費用

$①$　償却期間　$3年\times\dfrac{7}{10}＝2.1\rightarrow2年<5年\qquad\therefore\quad2年$

$②$　超　過　額　$480,000円－480,000円\times\dfrac{7}{2\times12}＝340,000円$（加・留）

5．その他の費用

$(1)①$　償却期間　$5年$

$\quad②$　超　過　額　$1,000,000円－1,000,000円\times\dfrac{9}{5\times12}＝850,000円$（加・留）

$(2)①$　償却期間　$3年$

$\quad②$　超　過　額　$900,000円－900,000円\times\dfrac{2}{3\times12}＝850,000円$（加・留）

解答への道

1．繰延資産となるべき費用を償却費以外の科目をもって損金経理しているときにおいても、その損金経理した金額は「償却費として損金経理した金額」となる。（基通8-3-2）

2．1(2)の場合には、支出金額が20万円未満の少額繰延資産として、一時に損金算入が認められる。

$\qquad\qquad\qquad\qquad\qquad\qquad\qquad\qquad\qquad\qquad\qquad\qquad\qquad\qquad\qquad$（令134）

3．固定資産を利用する繰延資産で、その固定資産が滅失したときは、その繰延資産の未償却残額は滅失時の損金とするので、1(4)の場合には前期の償却超過額を当期に全額認容・減算する。

$\qquad\qquad\qquad\qquad\qquad\qquad\qquad\qquad\qquad\qquad\qquad\qquad\qquad\qquad\qquad$（基通8-3-6）

4．国等の行う街灯等の設置で主として一般公衆の便益に供されるものの負担金は、支出時の損金

とすることができる。（基通8-1-13）

5．固定資産を利用する繰延資産で、その固定資産の建設が未着手であるものは、その固定資産の建設に着手した時から償却する。（基通8-3-5）

6．建物の賃借に際して支払った仲介手数料は、繰延資産とせず支出時の損金とすることができるが、前居住者に対する立退料は繰延資産にしなければならない。（基通8-1-5）

7．漫画の主人公を商品のマーク等として使用する等他人の著作権を利用することについて著作権者等の許諾を得るために支出する一時金の費用は、出版権の設定の対価に準じて取り扱う。なお償却期間は、設定契約に存続期間の定めがない場合には3年とする。（基通8-1-10（注）、8-2-3）

問題 3　繰延資産の範囲　　　　　重要度 A

次の各事例について、当社の当期（令和7年4月1日〜令和8年3月31日）における税務上調整すべき金額を計算しなさい。

1．事例1

当社は、令和7年8月に同業者団体（社交団体ではない。）に加入し、次の会費等を支払い、諸会費として費用に計上している。

(1) 加入金（構成員としての地位は譲渡できるものではなく、出資としての性格を有していない。）300,000円

(2) 会館建設負担金（同業者団体の建物の建設費として使用され、建物の60％は貸室の用に供され、残余の40％は団体の事務所（本来の用に供されるものである。）として利用される。この建物の耐用年数は、38年である。）12,000,000円

(3) 特別会費（加盟組合員の共同の福利厚生施設である保養所（協会の本来の用に供されるものではない。）の建設費として使用され、この保養所の耐用年数は20年である。）1,260,000円

2．事例2

令和7年5月11日に鉄筋コンクリート造の建物を賃借し、次の金額を支出し費用に計上している。この借家契約では、明渡しに際して借家権として転売できることになっている。

(1) 権利金7,000,000円は繰延資産に計上し、当期分として1,000,000円を償却した。

(2) 前居住者に対する立退料500,000円及び周旋業者手数料300,000円は、雑費として費用に計上した。

なお、この建物の耐用年数は50年であり、賃借時における見積耐用年数は32年である。

3．事例3

当社は、自社製品の広告宣伝のために、令和8年2月12日に次の資産を譲渡した。

(1) 得意先甲及び乙社に当社社名入り自動車を各1台ずつ700,000円（取得価額1,600,000円）で譲渡した。この自動車の耐用年数は5年である。

(2) 得意先丙及び丁社に当社製品名入り陳列だなを各1本ずつ60,000円（取得価額150,000円）で譲渡した。この陳列だなの耐用年数は6年である。

当社は、取得価額と譲渡価額との差額を広告宣伝費として費用に計上した。

解 答

1．事例1

(1) 加入金

① 償却期間　5年

② 償却超過額　$300,000円－300,000円×\dfrac{8}{5×12}=260,000円$（加・留）

(2) 会館建設負担金

① 寄附金　$12,000,000円×60\%=7,200,000円$　→　支出寄附金の額に算入

② 繰延資産　$12,000,000円×40\%=4,800,000円$

イ．償却期間　$38年×\dfrac{7}{10}=26.6$　→　26年＞10年　　　∴　10年

ロ．償却超過額　$4,800,000円－4,800,000円×\dfrac{8}{10×12}=4,480,000円$（加・留）

(3) 特別会費（保養所）

① 償却期間　$20年×\dfrac{7}{10}=14年$

② 償却超過額　$1,260,000円－1,260,000円×\dfrac{8}{14×12}=1,200,000円$（加・留）

2．事例2

(1) 繰延資産　$7,000,000円＋500,000円=7,500,000円$

① 償却期間　$32年×\dfrac{7}{10}=22.4$　→　22年

② 償却超過額　$(1,000,000円＋500,000円)－7,500,000円×\dfrac{11}{22×12}=1,187,500円$

（加・留）

3．事例3

(1) 繰延資産　$(1,600,000円－700,000円)×2=1,800,000円$

① 償却期間　$5年×\dfrac{7}{10}=3.5$　→　3年＜5年　　　∴　3年

② 償却超過額　$1,800,000円－1,800,000円×\dfrac{2}{3×12}=1,700,000円$（加・留）

(2) $150,000円－60,000円=90,000円＜200,000円$　　　∴　是認

解答への道

1．事例1

(1) 同業者団体に対する加入金は、出資の性格を有するものは有価証券の一種として資産勘定に計上し償却できないが、出資の性格を有しないものは繰延資産として償却する。(基通8-1-11)

(2) 同業者団体に対する会館建設負担金は、原則として繰延資産に該当するが、その会館のうち貸室の用に供されている部分に係る負担金は団体に対する寄附金となる。(基通8-1-4)

(3) 繰延資産である同業者団体の会館建設負担金の償却期間は、その会館が団体本来の用に供される場合には本来の償却期間と10年のいずれか少ない方による。(基通8-2-3、8-2-4)

2．事例2

建物の賃借に際して支出する費用のうち、権利金及び前居住者に対する立退料が繰延資産となる。(基通8-1-5)

3．事例3

(1) 広告宣伝用資産を低額譲渡した場合には、その資産の取得価額と譲渡価額との差額が繰延資産となる。この場合において、丙及び丁に対するものは支出金額20万円未満の少額繰延資産に該当するので、一時に損金算入できる。(基通8-1-8、令134)

(2) 広告宣伝用資産の贈与費用が少額繰延資産に該当するか否かは、支出の対象となる資産の1個ごとの金額による。(基通8-3-8)

問　題　4　　分割払いの繰延資産等　　　　重要度　C

次の各事例について、当社の当期（令和7年4月1日～令和8年3月31日）における税務上調整すべき金額を計算しなさい。

1．事例1

当期に商店街の共同アーケード（耐用年数8年）を設置するための負担金4,000,000円を割当てられた。そこで第1回分の1,000,000円を令和8年3月1日に支払い、残額は3カ月ごとに均等額を支払うことになっている。

この工事は令和8年3月20日に着手されており、当社は繰延資産として4,000,000円（うち3,000,000円は未払金処理）を計上するとともに、当期償却費として1,000,000円を計上した。

2．事例2

令和7年12月15日に当社工場前の公道（耐用年数15年）の設置負担金が4,000,000円（年1回500,000円の均等分割払い）である旨の通知を受けた。当社は、令和8年1月10日に第1回分として500,000円を支払い費用に計上した。この公道は一般の人々も通行するものであり設置工事は令和7年中に着工している。

３．事例３

　　当社の同業者団体である I 振興会が会館を建設することになり、令和７年６月15日に第１回目の負担金300,000円を損金経理により支出している。負担金の総額は1,500,000円であり、当社は５年間にわたり同額を毎年６月15日に支払うこととしている。なお、会館は本来の用に供されるものであり、建設に着手したのは令和７年７月10日であったが期末現在完成していない（完成予定日令和８年11月30日）。　　（注）会館の耐用年数……41年

解　答

１．事例１

　(1) 償却期間　　　５年＜８年　　　∴　５年

　(2) 超　過　額　　　$1,000,000円 - 4,000,000円 \times \dfrac{1}{5 \times 12} = 933,334円$　（加・留）

２．事例２

　(1) 公共的施設に係る設置負担金である。⎫

　(2) 分割支払期間 ≧ 償却期間　　　　　　⎪

　　　　　　　　　　　　　　　　　　　　　⎬　　∴　是認

　(3) 分割支払額が均等　　　　　　　　　　⎪

　(4) 負担金の徴収が工事着工後に開始　　　⎭

３．事例３

　(1) 償却期間　　　$41年 \times \dfrac{7}{10} = 28.7 \;\to\; 28年 > 10年$　　　∴　10年

　(2) 分割期間　　　分割支払期間＜償却期間　　∴　原則的方法により償却

　(3) 超　過　額　　　$300,000円 - 300,000円 \times \dfrac{9}{10 \times 12} = 277,500円$　（加・留）

解答への道

１．分割払いの繰延資産は原則としてその総額を未払金に計上して償却することはできないが、分割支払期間が３年以内のものはこの限りでない。従って、事例１では総額により償却限度額を算出できる。（基通8-3-3）

２．公共的施設又は共同的施設の設置負担金で次の３要件を満たすものは、繰延資産とせずに支出時に損金算入することができる。（基通8-3-4）

　(1) 分割支払期間 ≧ 償却期間

　(2) 分割支払額がおおむね均等

　(3) 負担金の徴収が工事着工後に開始

　　ただし、事例３のように３条件のいずれかを満たさないときは、この処理は認められず、原則的な償却方法による。

第10章

評 価 損 益

1 個別論点のチェック

項　　　目	参照条文	問1	問2
1．評価益の益金不算入	法25、令24		○
2．評価損の損金不算入等	法33、令68	○	○
	基通9－1－2	○	○
3．棚卸資産の評価損	令68①一、基通9－1－4～6	○	
4．有価証券の評価損	令68①二、基通9－1－7～15		○
5．固定資産の評価損	令68①三、基通9－1－16～19		
6．評価損の判定単位	基通9－1－1	○	
7．時　　　　　　価	基通9－1－3	○	

2 他項目との関連

　評価損益では評価損益の計上が認められる特別事由を中心に学習してほしい。評価損益の是否認額は、もっぱら資産の帳簿価額に影響を与えるものであるため、特に次の事項の計算に影響を与えることが多い。

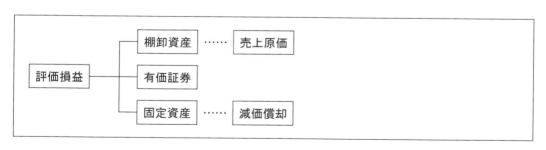

当社は当期（令和7年4月1日〜令和8年3月31日）において次の商品に評価損を計上している。税務上調整すべき金額を計算しなさい。

区　分	評価換直前簿価	期末時価	評価損計上額	備　　　考
A　商　品	円 800,000	円 500,000	円 400,000	火災により著しく損傷した。
B　商　品	4,000,000	2,500,000	1,500,000	過剰生産により価額の回復が見込まれない。
C　商　品	1,000,000	700,000	200,000	売れ残りの季節商品で過去の販売実績からみて通常価額で販売できなくなった。
D　商　品	1,300,000	500,000	1,000,000	性能の著しく異なる新製品の発売により見切処分することになった。（注）
E　商　品	700,000	250,000	450,000	建値の変更により販売価額が低下した。
F　商　品	900,000	700,000	300,000	物価変動による時価下落である。

（注）D商品には、前期に評価損否認額が150,000円生じている。

解　答

1．棚卸資産評価損否認

A	400,000円－（800,000円－500,000円）	＝　100,000円（加・留）
B	評価損の計上は認められない。	＝ 1,500,000円（加・留）
C	200,000円－（1,000,000円－700,000円）	＝△ 100,000円→0（切捨）
D	1,000,000円－（1,300,000円＋150,000円－500,000円）	＝　50,000円（加・留）
E	評価損の計上は認められない。	＝　450,000円（加・留）
F	評価損の計上は認められない。	＝　300,000円（加・留）

解答への道

1．評価損の計上は決算調整事項であるため、原則として計上不足額は切捨てるが、既往の否認額

がある場合には計上不足額の範囲内で認容減算する。（法33②、基通9-1-2）

2．評価損計上の基礎となる評価換直前簿価は、税法上の金額を基礎とするため、資料にある会社の簿価である評価替直前簿価に既往の否認額を加えて計算する。（法33⑥）

3．売れ残りの季節商品で既往の実績から通常の価額で販売できないもの、性能の著しく異なる新製品の発売により通常の方法で販売できないものは、棚卸資産が著しく陳腐化したことに該当する。（基通9-1-4）

4．過剰生産、建値の変更、物価変動は棚卸資産の評価損計上原因とならない。（基通9-1-6）

問題 2　有価証券　　　重要度 A

次の資料により、当期（令和7年4月1日～令和8年3月31日）において税務上調整すべき金額を計算しなさい。

1．当期末において評価損を計上した有価証券は、次のとおりである。なお、売買目的有価証券に該当するものは保有していない。

区　　分	期末時価	評価損計上額	評価換後簿価	備　　　考
A　株　式	2,500,000円	700,000円	2,500,000円	一時的な時価の下落である。
B　株　式	2,000,000	2,800,000	1,700,000	債務超過状態に陥り、近い将来価額回復の見込みなし。
C　株　式	2,000,000	1,800,000	2,300,000	C社の公害発生報道による時価の下落であるが、同社の資産状態は良好である。
D　株　式	600,000	1,600,000	400,000	D社に会社更生法による更生手続の開始決定があった。
E　株　式	1,000,000	1,550,000	1,000,000	業績悪化による時価の下落であり、近い将来価額回復の見込みがあるか否かは不明である。
F　株　式	600,000	1,900,000	600,000	F株式取得時の1株当りの純資産価額に対し、当期末のそれが50%相当額を下回った。

（注１）Ａ株式、Ｂ株式、Ｃ株式及びＥ株式は、取引所売買有価証券等に該当し、Ｄ株式及び
　　　Ｆ株式は取引所売買有価証券等以外の有価証券に該当する。

（注２）当社はＣ株式の発行済株式総数の20％を所有している。

（注３）Ｄ株式には、既往における評価損否認額が300,000円ある。

（注４）Ｄ株式、Ｆ株式の時価の下落は、近い将来価額回復の見込みがない。

２．上記のほか、Ｇ上場株式の発行法人であるＧ社が新製品の開発に成功したことにより、Ｇ
　株の時価が急騰したので、その帳簿価額4,000,000円を当期末における時価の8,000,000円ま
　で増額した。

解　答

１．有価証券評価損否認

Ａ　評価損の計上は認められない。　　　　　　　　　　　　　＝　　700,000円（加・留）

Ｂ　2,800,000円－（2,800,000円＋1,700,000円－2,000,000円）　＝　　300,000円（加・留）

Ｃ　評価損の計上は認められない。　　　　　　　　　　　　　＝　1,800,000円（加・留）

Ｅ　　　　同　　　　上　　　　　　　　　　　　　　　　　　＝　1,550,000円（加・留）

Ｆ　1,900,000円－（1,900,000円＋600,000円－600,000円）　　＝　　　　　　0円

２．有価証券評価損否認額認容

Ｄ　1,600,000円－（1,600,000円＋400,000円＋300,000円－600,000円）

　　＝△100,000円 ⎫
　　　　　　　　　 ⎬ 少　　　　　∴　　100,000円（減・留）
　　300,000円 ⎭

３．有価証券評価益否認

Ｇ　8,000,000円－4,000,000円＝4,000,000円（減・留）

解答への道

１．評価損計上の事由となる「価額の著しい低下」は、近い将来価額の回復が見込まれない状態を
　いうのであるから、一時的な時価の下落や回復するか否かが不明では評価損は計上できない。

　　　　　　　　　　　　　　　　　　　　　　　　　　　　（基通9-1-7、9-1-11）

２．取引所売買有価証券等でも発行済株式総数の20％以上を所有している場合には、取引所売買有
　価証券等以外の有価証券と同様に、発行法人の資産状態が悪化するとともに価額の著しい低下が
　なければ、評価損を計上することはできない。（令68①二ロ）

３．Ｄ株式及びＦ株式の計価損計上事由は、それぞれ発行法人の資産状態が著しい悪化に該当する。
　（基通9-1-9）

４．株式の時価が急騰しただけでは評価益を計上することは認められない。（法25、令24）

第11章

給　与

1 個別論点のチェック

項　　　目		参照条文	問1	問2	問3
役員の範囲等	1．意義と範囲	法2十五、令7、71	○	○	○
	2．相談役、顧問等	基通9－2－1	○	○	○
	3．総務担当、経理担当等	基通9－2－5	○		○
	4．株式等を有していない者の判定	基通9－2－7			○
役員給与	5．定期同額給与等	法34①	○	○	○
	6．不相当に高額な部分の金額	法34②、令70	○	○	○
	7．使用人兼務役員の実質基準	法34②、令70	○	○	○
	8．形式基準に係る使用人分適正額	法34②、令70		○	○
使用人給与	9．過大使用人給与の損金不算入	法36、令72の2		○	
	10．特殊関係使用人	法36、令72		○	

2 他項目との関連

　給与に関する出題は、役員給与及び特殊関係使用人の給与に関する取扱いに限られる。しかし、同族会社の判定に始まり、役員等の範囲そして給与の取扱いに至るまでの総合的知識が要求されるので、各規定をしっかり学習しておかないと正解は望めない。

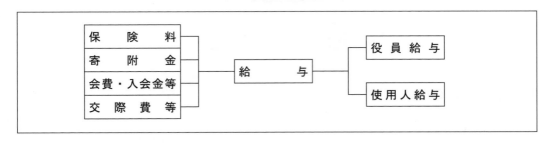

次の資料により非同族会社である当社の当期(令和7年4月1日～令和8年3月31日)における税務上調整すべき金額を計算しなさい。

1．当期における給与の支給状況は、次のとおりである。

氏名	役 職 名	給与支給額	
		役 員 分	使 用 人 分
A	代 表 取 締 役 社 長	12,000,000円	―― 円
B	常 務 取 締 役	9,600,000	――
C	専 務 取 締 役	8,400,000	――
D	取 締 役 営 業 部 長	6,000,000	1,200,000
E	取 締 役 経 理 担 当	6,000,000	1,200,000
F	監 査 役	4,800,000	――
G	相 談 役	2,400,000	――
H	人 事 部 長	――	3,600,000
	合 計	49,200,000円	6,000,000円

(1) 給与支給額は、毎月所定の時期に同額を支給している給与の年額である。

(2) 相談役Gは取締役ではないが、事実上経営に従事している。

(3) 取締役営業部長Dは常時使用人としての職務に従事している。

2．当社は、株主総会の決議により「取締役」に対する給与の支給限度額を41,900,000円、「監査役」に対する給与の支給限度額を4,800,000円と定めている。ただし、これらの金額には使用人兼務役員の使用人分は含めないことになっている。

3．上記1の給与支給額について、次に掲げる者の適正額は次のとおりである。なお、他の者には不相当に高額な支給はない。

     A   10,700,000円

     B   10,000,000円

     D   7,000,000円 （うち使用人分 1,000,000円）

     E   7,000,000円

     G   2,400,000円

役員給与の損金不算入額

（1）実質基準

A	12,000,000円－10,700,000円	＝ 1,300,000円
B	9,600,000円＜10,000,000円	∴ 0円
D	（6,000,000円＋ 1,200,000円）－7,000,000円	＝ 200,000円
E	（6,000,000円＋ 1,200,000円）－7,000,000円	＝ 200,000円
G	2,400,000円－ 2,400,000円	＝ 0円

合計　1,700,000円

（2）形式基準

① 取締役分

　　　　　　　　　　　　　　　　　　　F　　　　G　　　　H
（49,200,000円＋6,000,000円）－4,800,000円－2,400,000円－3,600,000円
　　＊　D
－1,000,000円－41,900,000円＝1,500,000円

　　　＊　1,200,000円＞1,000,000円　　　∴　1,000,000円

② 監査役分

　　4,800,000円－4,800,000円＝0円

③ ①＋②＝1,500,000円

（3）（1）＞（2）　　　∴　1,700,000円（加・流）

1．非同族会社の場合には、所有割合に基づく役員等の判定がないので、各人は役職名により役員等であるか否かを判断する。（法二十五、令7）

2．取締役でない相談役は会社法等の役員ではないが、税法独自のみなし役員となる。従って、実質基準による判定の対象となる。（基通9-2-1）

3．実質基準の計算は、使用人兼務役員（本問ではD）については、役員分に使用人分を含めた合計額により行う。

4．Eの経理担当は、職制上使用人たる地位とは認められないので、使用人兼務役員には該当しない。従って、Eは単なる役員となり、この結果、Eに支給した使用人分給与はすべて役員分として支給したことになる。（基通9-2-5）

5．形式基準の判定の基礎となる給与の支給限度額は、会社法等の役員である「取締役」と「監査役」に対して定められている。従って、これらに該当しないGとHは形式基準の計算上除外する。（令70）

6．使用人兼務役員の使用人分を含めないで給与の支給限度額を定めている場合には、使用人兼務役員に対して支給した使用人分としての相当額は除外して計算する。（令70）

問 題 2　同族会社

重 要 度　A

　次の資料により、当社の当期（令和7年4月1日～令和8年3月31日）における税務上調整すべき金額を計算しなさい。

1．当社の株主等の構成及び給与の支給状況は、次のとおりである。

氏名	持株数	関　係	役職名	給与支給額	
				役員分	使用人分
	株			円	円
A	10,000	Bの父	会　　　　長	8,000,000	——
B	30,000	—	代表取締役社　　　　長	20,000,000	——
C	12,000	—	専務取締役	12,000,000	——
D	5,000	Bの長男	取　締　役総　務　部　長	2,400,000	5,200,000
E	8,000	Cの弟	取　締　役経　理　部　長	1,800,000	5,300,000
F	15,000	—	監　　査　　役	6,500,000	——
G	5,000	Fの妻	東京工場長	——	4,800,000
H	15,000	—	非常勤取締役	2,400,000	——
I		Bの妹	経理事務員	——	2,800,000
計	100,000	—	——	53,100,000	18,100,000

(1)　部長及び工場長は職制上使用人たる地位に該当し、D及びEは常時使用人としての職務に従事している。また、会長A及び東京工場長であるGは常時取締役会に出席し、事実上経営に従事している。

(2)　給与支給額は、Hを除き毎月所定の時期に同額を支給している給与の年額である。

(3)　非常勤取締役であるHに対する給与は、あらかじめ定められたところにより、当期中の7月と12月に半年俸として1,200,000円ずつ支給したものである。なお、事前に必要な届出が行われている。

(4)　代表取締役であるBには、上記のほか居住しているマンションの家賃補助として、毎月80,000円を支給しており、雑費として処理している。

2．当社は、定款において1事業年度当たりの取締役給与の総額を43,000,000円以内（使用人兼務役員が使用人職務に対して支給される給与は含めていない。）、監査役給与の総額を7,000,000円以内とそれぞれ定めている。

3．各人の職務内容等から判断して、会長は7,500,000円、代表取締役社長は20,000,000円、
取締役総務部長は8,000,000円、取締役経理部長は6,900,000円、経理事務員は2,500,000円
が適正な額であり、他の者には不相当に高額な支給はない。

4．使用人兼務役員と同格の比準すべき使用人への給与支給額は5,500,000円である。

解　答

1．同族会社の判定

(1)　Bグループ　　30,000株＋10,000株＋5,000株＝45,000株

(2)　Cグループ　　12,000株＋　8,000株＝20,000株

(3)　Fグループ　　15,000株＋　5,000株＝20,000株

(4)　(1)＋(2)＋(3)＝85,000株　　$\dfrac{85,000株}{100,000株}$＝85％＞50％　　∴同族会社

2．役員等の判定

	50％超	10％超	5％超		
A	経営に従事				∴み な し 役 員
D	○	○	×	常時使用人職務に従事	使 用 人 兼 務 役 員
E	○	○	○		使用人兼務役員とされない役員
G	○	○	○	経営に従事	み な し 役 員

3．役員給与の損金不算入額

(1) 実質基準

A	8,000,000円－　7,500,000円	＝　500,000円
B	(20,000,000円＋80,000円×12)　－20,000,000円	＝　960,000円
D	(　2,400,000円＋　5,200,000円)　＜　8,000,000円　∴　0	
E	(　1,800,000円＋　5,300,000円)　－　6,900,000円	＝　200,000円

合計　1,660,000円

(2) 形式基準

①　取締役分

　　　　　　　　　　　　　　　　　　　　　　　　A　　　　　　F
(53,100,000円＋18,100,000円＋80,000円×12)－8,000,000円－6,500,000円
　　　G　　　　　　＊
－4,800,000円－5,200,000円－2,800,000円－43,000,000円＝1,860,000円

＊　5,500,000円＞5,200,000円　　　　∴　　5,200,000円

②　監査役分

6,500,000円＜7,000,000円　　　　∴　　0

③　①＋②＝1,860,000円

(3) (1)＜(2)　∴　1,860,000円（加・流）

4．使用人給与の損金不算入額

2,800,000円－2,500,000円＝300,000円 （加・流）

解答への道

1．同族会社の場合には、所有割合に基づく役員等の判定が必要となるため、解答の手順は次のようになる。

　①同族会社の判定 → ②役員等の判定 → ③給与の是否認

2．同族会社の役員のうち、令71①五の要件を満たしている者は使用人兼務役員になれないので、DとEについては各自の所有割合等により判定を行う。また、同族会社の使用人で法人の経営に従事している者のうち、やはり令71①五の所有割合の要件を満たしている者は役員と認定されるので、Gについても所有割合により判定を行う。（法2十五、令7、71）

3．取締役でない会長は会社法等の役員ではないが、税法独自のみなし役員として実質基準が適用される。（基通9-2-1）

4．非常勤取締役といえども会社法等の役員であり、取締役として形式基準の判定を行う。（法34）

5．Bに対する家賃補助は、役員に対する経済的な利益の供与として給与となり、毎月定額支給されているので定期同額給与となる。この結果、Bに対する家賃補助を含めたところにより、実質基準及び形式基準を計算することになる。（法34）

6．AとGは取締役及び監査役以外の税法独自のみなし役員であるため、形式基準の適用はない。

（令70）

7．使用人兼務役員であるDの使用人分は、比準すべき使用人給与より低い。従って、役員給与の形式基準の計算において控除すべき使用人分給与は実際支給額である。（令70）

8．特殊関係使用人に対して支給した給与のうち過大分は損金不算入となる。（法36、令72の4）

| 問 題 3 | 複合問題 | 重 要 度 | B |

次の資料により、当社の当期（令和7年4月1日～令和8年3月31日）における税務上調整すべき金額を計算しなさい。

1．当期末現在の株主、役員等の状況及び給与支給額は、次のとおりである。

氏名（役職名）	持株数	関　係	給与支給額	
			役員分	使用人分
	株		円	円
A（取締役会長）	6,000	Bの父	6,000,000	──
B（代表取締役社長）	30,000	──	18,000,000	──
C（専務取締役）	15,000	──	12,000,000	──
D（取締役工場長）	5,000	Bの兄	2,400,000	5,500,000
E（取締役営業担当）	10,000	──	2,400,000	4,300,000
F（取締役人事部長）	5,000	Cの長男	2,400,000	6,500,000
G（監査役）	8,000	──	6,000,000	──
H（資材部長）	0	Bの妻	──	6,000,000
I（顧　問）	2,000	Gの伯父	3,000,000	──
J　社（　──　）	4,000	Fが100％所有	──	──
その他の少数株主	15,000	──	──	──
合　　計	100,000	──	52,200,000	22,300,000

（1）　当社の発行済株式総数は100,000株であり、その他の少数株主の所有株数はそれぞれ1,000株未満である。

（2）　Ｉは取締役ではなく、部長及び工場長は職制上使用人たる地位である。Ｈ及びＩは常時取締役会に出席しており、実質上は経営に従事している。また、Ｄ及びＦは常時使用人としての職務に従事している。

（3）　給与支給額は、毎月所定の時期に同額を支給している給与の年額である。

2．役員の職務内容等に照らして、Ｂは18,500,000円、Ｃは9,000,000円、Ｄは7,500,000円Ｅは6,910,000円が適正額である。他の者はいずれも相当の額と判断される。

3．当社は、株主総会の決議により、「取締役に対して毎期53,000,000円以内及び監査役に対して毎期5,000,000円以内の給与（この給与中には、取締役が使用人として受ける給与を含めない。）を支給する。」旨を定めている。

4．当社の職制上の地位として部長と工場長は同格であり、取締役でない製造部長に支給した給与の年額は6,000,000円である。

5．上記の1のほかに、次の事実がある。

（1）　当期中の４月にＴＡＣ生命保険会社との間に、Ａ・Ｂ両氏を被保険者とする養老保険契約を締結し、当期分の保険料として１名あたり1,200,000円（毎月100,000円の支払い）の保険料を支払い、福利厚生費として処理した。なお、生存保険金の受取人はＡ・Ｂ本人、死亡保険金の受取人はＡ・Ｂの遺族となっている。

(2) C氏に対する貸付金3,000,000円については書面により債務免除し、貸倒損失として処理した。これは、10年前に取引先の事務職員であったC氏を当社の役員に迎える際の条件となっていたもので、C氏の弁済能力はあるものと認められる。

(3) E氏に別荘購入資金として20,000,000円を当期中の4月1日に貸付けたが、E氏の功労を考慮して利息の支払は受けない約定になっている。なお、通常に貸付けたとすれば、その利息は年4.1%となる。

(4) 当期中に退職した取締役に対して、退職金(業績連動給与には該当しないものである。)10,000,000円を支払う旨の株主総会の決議がなされており、当期中に支払うとともに損金経理した。なお、退職金としての適正額は 8,000,000円である。

解　答

1．同族会社の判定

(1) Bグループ　　　30,000株＋6,000株＋5,000株＋0株＝41,000株

(2) Cグループ　　　15,000株＋5,000株＋4,000株＝24,000株

(3) Gグループ　　　 8,000株＋2,000株＝10,000株

　　　　　又は

　　　　　E　　　　　10,000株

(4) (1)＋(2)＋(3)＝75,000株　　$\dfrac{75,000株}{100,000株}＝75\%＞50\%$　　∴　同族会社

2．役員等の判定

	使用人以外の者で経営に従事				みなし役員
	50%超	10%超	5%超		
D	○	○	×	常時使用人職務に従事	使用人兼務役員
F	○	○	○		使用人兼務役員とされない役員
H	○	○	○	経営に従事	みなし役員

3．役員給与の損金不算入額

(1) 実質基準

B	(18,000,000円＋1,200,000円)－18,500,000円	＝	700,000円
C	12,000,000円－9,000,000円	＝	3,000,000円
D	(2,400,000円＋5,500,000円)－7,500,000円	＝	400,000円
E	(2,400,000円＋4,300,000円＋20,000,000円×4.1%)－6,910,000円＝		610,000円

合計　4,710,000円

(2) 形式基準

 ① 取締役分

  （52,200,000円＋22,300,000円＋1,200,000円×2＋20,000,000円×4.1％）
    ＊   D   G   H   I
  －5,500,000円－6,000,000円－6,000,000円－3,000,000円－53,000,000円

  ＝4,220,000円

  ＊ 5,500,000円＜6,000,000円   ∴ 5,500,000円

 ② 監査役分

  6,000,000円－5,000,000円＝1,000,000円

 ③ ①＋②＝5,220,000円

(3) (1)＜(2) ∴ 5,220,000円（加・流）

4．役員給与の損金不算入額（退職給与）

 10,000,000円－8,000,000円＝2,000,000円（加・流）

5．役員給与の損金不算入額（C氏債務免除）

 3,000,000円（加・流）

解答への道

1．Hのように、自らはその会社の株式等を有していないが、その者の配偶者がその会社の株式等を有している場合には、役員等の判定を行う。（基通9-2-7）

 この結果、HはBグループの一員として役員等の判定を行い、5％超基準はBの持株数により判定を行うことになる。

2．取締役でない顧問Iは税法独自のみなし役員であるため、取締役及び監査役を対象とする形式基準の判定対象者とならない。この点はHも同様である。（基通9-2-1、令70）

3．本問では、部長と工場長が職制上の地位として同格であるため、取締役でない部長の給与が形式基準における使用人分相当額を示すコメントとなる。

4．役員給与の損金不算入額の計算上、経済的利益の供与額を実際支給額に含めて計算する。

 (1) 養老保険の受取人が満期及び死亡の両方とも従業員関係である場合には、その保険料は役員に対する経済的利益の供与となる。この場合、保険料は定期同額給与となる。（基通9-3-4（2））

 (2) 役員に返済能力があるにもかかわらず債務免除しているので、貸倒損失としては認められない。しかし、書面により債務免除しているので、法的に債権は消滅しており、役員に対して貸付金を贈与したとして役員給与となる。この場合は定期同額給与等には該当しないため損金不算入となる。（法34①）

 (3) 貸付金利子の免除も役員に対する経済的利益の供与となる。この場合、利子は毎月定期的に発生するため定期同額給与となる。

第12章

寄　附　金

1　個別論点のチェック

項　目		参照条文	問1	問2	問3
1．損金算入限度額		法37①、令73、77の2	○	○	○
寄の附範金囲	2．資産の贈与等	法37⑦		○	
	3．資産の低額譲渡等	法37⑧			○
	4．個人負担の寄附金	基通9－4－2の2		○	
現主金義	5．未払寄附金	令78	○	○	
	6．仮払寄附金	基通9－4－2の3	○	○	○
	7．手形支払寄附金	基通9－4－2の4		○	
指寄附定金	8．指定寄附金	法37③、⑨	○	○	○
	9．国等に対する寄附金	基通9－4－3			○
	10．公共企業体等への寄附金	基通9－4－5		○	
	11．災害義援金等	基通9－4－6		○	
12．特定公益増進法人		法37④、⑨、令77	○	○	○
13．認定特定非営利活動法人		措法66の11の2			○
14．その他の寄附金		措通61の4(1)－2			○
15．完全支配関係がある法人間の寄附		法37②		○	
16．国外関連者への寄附金		措法66の4③			○

2 他項目との関連

　寄附金の損金不算入額は、その損金算入限度額の性質上、数字としての整合性は望めないので、①現金主義による調整、②支出寄附金の内容の区分、③計算過程とタイトルを重視してほしい。

　寄附金は他項目の資料に混在していることがあるので、次の項目と寄附金の関係に注意してほしい。

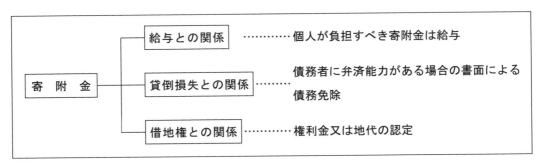

問 題	1	現金主義と損金算入限度額	重 要 度	A

　次の資料により、当社の当期（令和7年4月1日〜令和8年3月31日）における税務上調整すべき金額を計算しなさい。

1．当期の寄附金に関する事項は、次のとおりである。

　(1)　当期中に損金経理した指定寄附金2,000,000円のうち、1,000,000円は当期中に支出し、残り1,000,000円は未払となっている。

　(2)　特定公益増進法人に対する寄附金1,500,000円は、仮払金として経理されている。

　(3)　前期（令和6年4月1日〜令和7年3月31日）に未払金に計上したその他の寄附金500,000円は、当期に支払い未払金を取り崩している。

2．当社の当期末における資本金の額は50,000,000円、資本準備金の額は50,000,000円であり、当期利益金は30,000,000円とする。

解 答

1．仮計までの税務調整

		当期利益金	30,000,000円
加算		未払寄附金否認（指定等）	1,000,000円
減算		仮払寄附金認定損（特定）	1,500,000円
		前期未払寄附金認容（その他）	500,000円
		仮　　　計	29,000,000円

2．寄附金の損金不算入額

　(1)　支出寄附金の額

　　①　指定寄附金等　　　　　1,000,000円

　　②　特定公益増進法人　　　1,500,000円

　　③　その他の寄附金　　　　500,000円

　　④　①＋②＋③＝3,000,000円

　(2)　損金算入限度額

　　①　特別損金算入限度額

$$\left\{ (50,000,000円+50,000,000円) \times \frac{12}{12} \times \frac{3.75}{1,000} + (29,000,000円+3,000,000円) \times \frac{6.25}{100} \right\}$$
$$\times \frac{1}{2} = 1,187,500円$$

　　②　一般寄附金の損金算入限度額

$$\left\{ (50,000,000円+50,000,000円) \times \frac{12}{12} \times \frac{2.5}{1,000} + (29,000,000円+3,000,000円) \times \frac{2.5}{100} \right\}$$

$$\times \frac{1}{4} = 262,500円$$

(3) 損金不算入額

$$3,000,000円 - 1,000,000円 - 1,187,500円^{*} - 262,500円 = 550,000円$$

（仮計と合計の間で加・流）

$*$ $1,500,000円 > 1,187,500円$　　　∴　$1,187,500円$

解答への道

1. 寄附金は現金主義により認識する。期末現在未払の寄附金は、税務上は当期の寄附金として認識せず、支出寄附金の額には含まれない。従って、会社が損金経理していれば、別表4で加算する。逆に、前期末現在未払の寄附金を当期に支出すれば、税務上は当期の寄附金として認識し、支出寄附金の額に含めることになる。この場合、会社は当期に損金経理していないので別表4で減算する。（令78）

2. 仮払金として経理した寄附金は、税務上は当期の寄附金として認識し、支出寄附金の額に含めることになる。この場合、会社は当期に損金経理していないので別表4で減算する。

（基通9-4-2の3）

3. 寄附金の損金算入限度額は、別表4仮計の金額をその計算のベースとする。従って、先に未払寄附金や仮払寄附金による税務調整をした後に、仮計を求め、その後に損金算入限度額を計算する。（令73）

問　題　2　寄附金の区分と有価証券の贈与　　　重要度　B

　次の資料により、当社の当期（令和7年4月1日～令和8年3月31日）における税務上調整すべき金額を計算しなさい。

1. 当期中に損金経理した寄附金の内訳は、次のとおりである。

寄　附　先	使　　　途	寄附金額	備　　　　　考
宗 教 法 人 A 教 団	本 殿 建 設 資 金	500,000円	前期（令和6年4月1日～令和7年3月31日）に仮払金として経理した金額を当期の費用として消却した。
B　　　　　　市	B市立中学校図書館建設資金	300,000円	当期中支出。
社 会 福 祉 法 人	経 費 資 金	700,000円	当期中支出。特定公益増進法人。

商 工 会 議 所	備品購入資金	1,000,000円	手形で支払ったものであり、当期末現在400,000円が未決済となっている。
私立C高校バレー部	全国大会出場募金	200,000円	社長の長男の大会出場を祝して当期中に支出しており、社長個人が負担すべきものである。
日 本 放 送 協 会	災 害 地 義 援 金	100,000円	当期中に支出しており、最終的に義援金配分委員会等に拠出されることが明らかである。
日 本 赤 十 字 社	経 常 経 費 資 金	400,000円	当期中支出。特定公益増進法人。
取 引 先	資 金 援 助	3,000,000円	取引先に対して経営不振を援助する目的で帳簿価額3,000,000円の有価証券（時価9,400,000円）を贈与した。
子 会 社	欠損補てん資金	600,000円	当社が100％出資した子会社に対する寄附金である。

（注）前期に未払金に計上した日本中央競馬会に対する寄附金600,000円は、当期に支出した。

なお、当社は同会から何の便益も受けていない。

2．寄附金に関して必要な申告手続はすべて適法に行うものとし、その他計算に必要な事項は次のとおりである。

(1) 当期利益金額 　　　　　　　　47,000,000円

(2) 期末資本金の額 　　　　　　　40,000,000円

(3) 期末資本準備金の額 　　　　　20,000,000円

解　答

1．仮計までの税務調整

	当期利益金	47,000,000円
（加算）	前期仮払寄附金否認	500,000円
	未払寄附金否認	400,000円
	役員給与の損金不算入額	200,000円
（減算）	前期未払寄附金認容	600,000円
	仮　　　　　計	47,500,000円

2．寄附金の損金不算入額

(1) 支出寄附金の額

① 完全支配　　　　　　600,000円

② 指定寄附金等　　　　300,000円＋100,000円＝400,000円

③ 特定公益増進法人　　700,000円＋400,000円＝1,100,000円

④ その他の寄附金　　（1,000,000円－400,000円）＋9,400,000円＋600,000円

　　　　　　　　　　＝10,600,000円

⑤ ①＋②＋③＋④＝12,700,000円

(2) 損金算入限度額

① 特別損金算入限度額

$$\left\{(40,000,000円＋20,000,000円)\times\frac{12}{12}\times\frac{3.75}{1,000}＋(47,500,000円＋12,700,000円)\times\frac{6.25}{100}\right\}$$

$$\times\frac{1}{2}＝1,993,750円$$

② 一般寄附金の損金算入限度額

$$\left\{(40,000,000円＋20,000,000円)\times\frac{12}{12}\times\frac{2.5}{1,000}＋(47,500,000円＋12,700,000円)\times\frac{2.5}{100}\right\}$$

$$\times\frac{1}{4}＝413,750円$$

(3) 損金不算入額

① 600,000円

② 12,700,000円－600,000円－400,000円－1,100,000円[*]－413,750円＝10,186,250円

　　＊ 1,100,000円＜1,993,750円　　　∴　1,100,000円

③ ①＋②＝10,786,250（仮計と合計の間で加・流）

解答への道

1．寄附金は現金主義により認識されるため、手形で支払われた寄附金は現実の支払に該当しない。従って、期末現在未決済部分は未払寄附金として否認される。（基通9-4-2の4）

2．社長の長男の大会出場を祝して支出した寄附金は、個人が負担すべき寄附金であり、これを法人が負担した場合には給与（臨時的な給与）となる。（基通9-4-2の2）

3．災害救助法に基づいて日本赤十字社や報道機関等に対して支出した義援金等で、最終的に義援金配分委員会等に対して拠出されることが募金趣意書等で明らかにされているものは、指定寄附金等に該当する。（基通9-4-6）

4．取引先に資金援助の目的で有価証券を贈与した場合には寄附金となる。ただし、資産を贈与した場合の寄附金の額は贈与時のその資産の時価であるため、会社計算額を次のように修正する。（法37⑦）

＜税務上の仕訳＞

（寄　附　金）	9,400,000円	（有価証券）	3,000,000円
		（譲　渡　益）	6,400,000円

（修正）

（加）譲渡益計上もれ

　　　　　　　6,400,000円

（減）寄附金計上もれ

　　　　　　　6,400,000円

＜会社の仕訳＞

（寄　附　金）	3,000,000円	（有価証券）	3,000,000円

（注）この修正は両建経理であるため、別表4加減欄の記入は省略してよい。

5．「当社が100％出資した子会社」は完全支配関係がある法人に該当するため、全額損金不算入となる。（法37②）なお、子会社においては、完全支配関係がある他の内国法人から収受した受贈益の額については、「受贈益の益金不算入額」として全額が益金不算入となる。（法25の2①）

6．日本中央競馬会のように全額政府出資により設立された法人に対する寄附金は、一般の寄附金として取扱われる。（基通9-4-5）

問題 3　複合問題　　　重要度　B

　次の資料により、当社の当期（令和7年4月1日～令和8年3月31日）における税務上調整すべき金額を計算しなさい。

1．貸倒損失に関する事項

　多額の損害を受けた得意先A社に対する貸付金5,000,000円について、令和7年8月24日にその債務額の20％を書面により債務免除し、貸倒損失として処理した。なお、A社は弁済能力があると認められる。

2．寄附金に関する事項

（1）当期の寄附金として損金経理した金額は、次のとおりである。

寄附年月日	寄　附　先	寄附金額	備　　　　　考
令7．3．10	商　工　会　議　所	300,000円	前期（令和6年4月1日～令和7年3月31日）に仮払金として経理した金額を当期の費用として消却した。
令7．5．25	A　　政　　党	800,000円	政治資金規正法に基づいて支出した政治献金である。
令7．8．4	B県立高等学校	500,000円	体育館建設資金で、体育館完成後は直ちにB県に帰属する。
令7．9．19	C　　　　　市	720,000円	当社工場の正門前の市道（耐用年数15年）の舗装費用として支出したものであり、一般の人々も通行している。
令7．11．11	D　　神　　社	100,000円	鳥居修繕資金として支出したものである。

令7.12. 1	中央共同募金会	50,000円	社会福祉事業に充てられるもので、財務大臣の指定告示がある。
令8. 1.15	外国法人E社	2,000,000円	E社（租税特別措置法第66条の4に規定する国外関連者に該当する。）に対して金銭を贈与したものである。

(2) 前期に手形により支出した認定特定非営利活動法人（所轄庁の認定を受けた法人である）に対する寄附金650,000円は、当期の6月に決済されている。

(3) 前期に未払金経理された社会福祉法人（特定公益増進法人に該当する。）に対する寄附金1,500,000円は、当期の5月10日に支払われている。

3．土地の譲渡等に関する事項

当社の関連会社であるTAC工業に欠損が生じたため、令和7年9月3日に経営を援助する目的で時価28,000,000円の土地を22,000,000円で譲渡し、5,000,000円の譲渡益を計上している。

4．その他の事項

当期末における資本金の額は130,000,000円、資本準備金の額は100,000,000円、利益積立金額は50,000,000円とし、上記1～3調整前の当期利益を43,750,000円とする。なお、寄附金に関して必要な申告手続はすべて適法に行うものとする。

解　答

1．仮計までの税務調整

	当 期 利 益 金	43,750,000円
（加算） ⎰	前期仮払寄附金否認	300,000円
⎱	繰延資産償却超過額	650,000円　（注）
（減算）	前期未払寄附金認容	2,150,000円　（650,000円＋1,500,000円）
	仮　　　　　計	42,550,000円

（注）繰延資産償却超過額

① 償却期間　　$15年 \times \dfrac{4}{10} = 6年$

② 超 過 額　　$720,000円 - 720,000円 \times \dfrac{7}{6 \times 12} = 650,000円$

2．寄附金の損金不算入額

(1) 支出寄附金の額

① 指定寄附金等　　500,000円＋50,000円＝550,000円

② 特定公益増進法人　　650,000円＋1,500,000円＝2,150,000円

③　その他の寄附金　　　5,000,000円×20%＋800,000円＋100,000円＋（28,000,000円

　　　　　　　　　　　　　　　　　　－22,000,000円）＋2,000,000円＝9,900,000円

④　①＋②＋③＝12,600,000円

(2)　損金算入限度額

①　特別損金算入限度額

$$\left\{ (130,000,000円＋100,000,000円)×\frac{12}{12}×\frac{3.75}{1,000}＋(42,550,000円＋12,600,000円)×\frac{6.25}{100} \right\}$$
$$×\frac{1}{2}＝2,154,687円$$

②　一般寄附金の損金算入限度額

$$\left\{ (130,000,000円＋100,000,000円)×\frac{12}{12}×\frac{2.5}{1,000}＋(42,550,000円＋12,600,000円)×\frac{2.5}{100} \right\}$$
$$×\frac{1}{4}＝488,437円$$

(3)　損金不算入額

①　2,000,000円

②　12,600,000円－2,000,000円－550,000円－2,150,000円※－488,437円＝7,411,563円

　　※　2,150,000円＜2,154,687円　　　∴　2,150,000円

③　①＋②＝9,411,563円（仮計と合計の間で加・流）

解答への道

1．法人が土地を低額譲渡したときは、時価と対価の差額のうち実質的に贈与したと認められる金額が寄附金とされ、本問では次の2つの税務調整が生じるが、両建経理であるため解答上は省略してよい。（法37⑧）

　　土地譲渡益計上もれ6,000,000円（加・留）　　寄附金計上もれ6,000,000円（減・留）

2．国外関連者に対する寄附金は全額損金不算入となる。（措法66の4③）

　　なお、国外関連者に対する寄附金は損金算入限度額の計算における支出寄附金の額には含まれる。

3．特定非営利活動法人に対する寄附金の額のうち、所轄庁の認定を受けたものは、特定公益増進法人に対する寄附金の額と同様に取扱う。

MEMO

第13章

交 際 費 等

1　個別論点のチェック

項　　目	参照条文	問1	問2	問3
1．損 金 算 入 限 度 額	措法61の4①	○	○	○
交 の 際 認 費 識　2．未払・仮払交際費等	措通61の4(1)－24	○	○	
3．原 価 算 入 交 際 費 等	措通61の4(1)－24、61の4(2)－7		○	○
4．間接的・共同的支出	措通61の4(1)－23、61の4(1)－15		○	○
5．売 上 割 戻 し 等	措通61の4(1)－3、61の4(1)－4		○	○
6．預 り 交 際 費 等	措通61の4(1)－6			○
7．販 売 奨 励 金 等	措通61の4(1)－7			○
8．広 告 宣 伝 費	措令37の5②一、措通61の4(1)－9、61の4(1)－20		○	○
9．福 利 厚 生 費	措法61の4④、措通61の4(1)－10			○
10．給 与 等	措通61の4(1)－12		○	
11．セ ー ル ス マ ン 等	措通61の4(1)－13、61の4(1)－14			○
12．会 議 費 等	措令37の5②二、措通61の4(1)－16、61の4(1)－21		○	
13．現 地 案 内 費 等	措通61の4(1)－17		○	
14．下 請 企 業 の 従 業 員	措通61の4(1)－18			○
15．交 際 費 等 の 意 義 と 範 囲	措法61の4④、措通61の4(1)－15	○	○	○

2 他項目との関連

　限度額の計算自体は非常に簡単であり、売上割戻し等の類似費用との区分がポイントとなる。租税特別措置法関係通達を十分に精読しておく必要がある。なお、租税特別措置法関係通達以外では、基本通達9－7－11からの会費・入会金等の取扱いの中に交際費等となるものがある。また、原価算入交際費等の一部減額は、圧縮記帳及び減価償却に先立って行うので、注意してほしい。

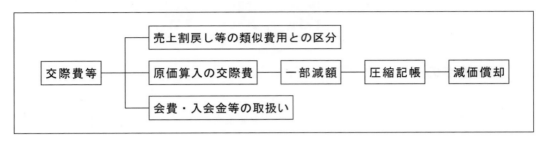

次の資料により、当社の当期（令和７年４月１日～令和８年３月31日）において税務上調整すべき金額を計算しなさい。なお、当社の期末資本金が①５億円、②１億円（資本金５億円以上の法人による完全支配関係がない。）、③１億円（資本金５億円以上の法人による完全支配関係がある。）の３通りについて答えなさい。

１．当期において損金経理により交際費勘定に計上した金額は 12,510,000円であり、その内訳は次のとおりである。

(1) 得意先を旅行に招待した際に同行した社員の旅費   1,000,000円

(2) 株主総会対策のため大株主を料亭で接待した飲食費用（１人当たり29,000円）

     290,000円

(3) 当社従業員の慰安のために行われた運動会の費用で通常要するもの   2,400,000円

(4) 前期（令和６年４月１日～令和７年３月31日）に取引先を接待し、仮払金に計上してあった金額の当期消却額   70,000円

(5) その他の接待飲食費（うち未払金計上分 400,000円）   8,750,000円

２．当期中の３月25日に得意先を料亭で接待した際に要した飲食費 350,000円（１人当たり 35,000円）は、当期末現在請求書が未着であるため、何らの処理もしていない。

解 答

１．支出交際費の額

(12,510,000円 − 2,400,000円 − 70,000円) + 350,000円 = 10,390,000円

２．交際費の損金不算入額

(1) ①期末資本金５億円の場合及び③期末資本金１億円（資本金５億円以上の法人による完全支配関係がある）の場合

10,390,000円 − (290,000円 + 350,000円 + 8,750,000円) × 50% = 5,695,000円（加・流）

(2) ②期末資本金１億円（資本金５億円以上の法人による完全支配関係がない）の場合

10,390,000円 − 8,000,000円 = 2,390,000円（加・流）
（※印は 8,000,000円 の上に付されている）

※ (290,000円 + 350,000円 + 8,750,000円) × 50% = 4,695,000円 < 8,000,000円 × $\frac{12}{12}$

∴ 8,000,000円

３．２以外の税務調整

(1) 前期仮払交際費否認   70,000円（加・留）

(2) 未払交際費認定損   350,000円（減・留）

1．交際費は、交際・接待等に係るすべての費用を包括しているので、招待旅行に同行した社員の旅費も交際費となる。

2．交際接待の対象となる「得意先、仕入先その他事業に関係のある者等」には、その法人の株主も含まれる。（措通61の4(1)-22）

3．交際費は、接待、供応等の行為のあった時に認識され、仮払又は未払等の経理のいかんを問わない。従って、前期仮払交際費は当期の支出交際費から除き（別表4で加算）、未計上の交際費は当期の支出交際費に含める（別表4で減算）。（措通61の4(1)-24(2)）

4．期末資本金1億円以下で大法人による完全支配関係がない場合には、接待飲食費の50％と年800万円までの定額控除限度額の大きい方が損金の額に算入される。

問　題　2　**交際費等の範囲**　　　　重要度　B

　次の資料により、当社の当期（令和7年4月1日〜令和8年3月31日）における税務上調整すべき金額を計算しなさい。なお、当社の期末資本金額は50,000,000円（法人株主はいない。）である。

1．当期に計上した売上割戻し勘定には、次のものが含まれる。

(1)　得意先に売掛金の回収高に比例して支払った金銭　　　　　　　　　3,000,000円

(2)　得意先を観劇に招待した費用　　　　　　　　　　　　　　　　　　600,000円

(3)　売上高に比例して購入単価3,000円のレジャー用品を交付した費用　　900,000円

2．当期に計上した交際費勘定の内訳は、次のとおりである。

(1)　A社を当社の特約店とするための運動費用　　　　　　　　　　　1,200,000円

　　なお、運動費用のうち300,000円はA社に対して金銭を交付したものである。

(2)　得意先を接待するために要した飲食費（1人当たり10,000円）　　　450,000円

(3)　仕入先の社長の死亡に伴い支出した香典、花輪代　　　　　　　　100,000円

(4)　当社の営業担当常務に年1回支給している渡切交際費の額　　　　　500,000円

　　なお、この渡切交際費に関しては使途の報告は受けないことになっている。

(5)　当社製品の小売業者を旅行に招待するB社から要請されたこの旅行に関する協賛金

　　　　　　　　　　　　　　　　　　　　　　　　　　　　　　　　2,787,500円

(6)　当社製品の展示会に特約店を招待するために要した宿泊及び食事並びに交通費で、通常の範囲内のもの　　　　　　　　　　　　　　　　　　　　　　　　　700,000円

(7)　得意先との商談に際して供与した昼食代（通常供与される程度の食事である。）

　　　　　　　　　　　　　　　　　　　　　　　　　　　　　　　　　30,000円

(8) その他交際接待に要した飲食費　　　　　　　　　　　　　　8,012,500円

3．上記1及び2以外に、次の費用を支出している。

　得意先を接待して夜遅くなった従業員の帰宅のために要したタクシー代200,000円及びその際の得意先の接待に係る飲食費72,000円（1人当たり10,000円超）は、都合により仮払金に計上されている。

解　答

1．交際費の損金不算入額

(1) 支出交際費の額

600,000円＋（1,200,000円－300,000円）＋100,000円＋2,787,500円＋8,012,500円

＋200,000円＋72,000円＝12,672,000円

(2) 損金不算入額

12,672,000円－8,000,000円$\overset{*}{}$＝4,672,000円（加・流）

＊　（72,000円＋8,012,500円）×50％＝4,042,250円＜8,000,000円×$\dfrac{12}{12}$　　∴　8,000,000円

2．1以外の税務調整

(1) 役員給与の損金不算入額　　　　500,000円（加・流）

(2) 仮払交際費認定損　　　　　　　272,000円（減・留）

解答への道

1．交際費に該当するか否かを的確に判断するためには、租税特別措置法関係通達を完璧にマスターしておかなければならない。本問では、次の通達を確認しておくこと。

(1) 売上割戻し（措通61の4(1)-3〜4）

(2) 運動費（措通61の4(1)-15(2)）

(3) 見本品（措通61の4(1)-9(6)）

(4) 社外の者の慶弔費用（措通61の4(1)-15(3)）

(5) 渡切交際費（措通61の4(1)-12(3)、基通9-2-9(9)）

(6) 旅行招待協賛金（措通61の4(1)-15(5)、61の4(1)-23(1)）

(7) 展示会（措通61の4(1)-17(3)）

(8) 商談時の昼食代（措通61の4(1)-21）

(9) 仮払金（措通61の4(1)-24(2)）

2．交際費は、交際・接待等に係るすべての費用を包括した概念であるため、接待に関連して支出した従業員のタクシー代も交際費となる。

3．飲食その他これに類する行為のために要する費用（役員若しくは従業員又はこれらの親族に対する接待のために支出するものを除く。）であって、その支出する金額が一人当たり10,000円以下の費用は交際費等から除かれる。

問 題 3 **複合問題** 重 要 度 C

次の資料により、当社の当期（令和7年4月1日～令和8年3月31日）における税務上調整すべき金額を計算しなさい。なお、当社の期末資本金額は200,000,000円（株主はすべて個人である。）である。

1．当社の営業費勘定に計上された金額には、次のものが含まれている。

(1) 当社の販売促進キャンペーンに特に貢献した得意先に販売奨励金として事業用資産を交付した費用　　　　　　　　　　　　　　　　　　　　800,000円

(2) 当社商品の取扱数量が一定額に達した特約店の従業員に対して支出した報奨金品　　　　　　　　　　　　　　　　　　　　　　　　　　1,300,000円

　　　これらは、あらかじめ定めた支給基準によるもので、報酬につき所得税法第204条の適用を受けるものである。

(3) 当社は、売上高に比例して得意先に売上割戻しを実施しており、当期は次のものを支出している。

① 売掛債権と相殺した金額　　　　　　　　　　　　　　　　　5,000,000円

② ゴルフクラブ（単価 20,000円）の交付額　　　　　　　　　1,200,000円

③ 旅行招待費用　　　　　　　　　　　　　　　　　　　　　　750,000円

　　なお、旅行招待費用の総額は3,000,000円であり、上記金額との差額2,250,000円に関しては前期（令和6年4月1日～令和7年3月31日）に旅行に招待するつもりで預り金に計上した売上割戻しの金額を取り崩して充当している。

2．当期の交際費勘定に計上された金額11,430,000円には、次のものが含まれている。

(1) 得意先の仕入担当者に取引の謝礼として金品を贈った費用　　　300,000円

(2) 当社商品を購入した一般消費者に抽せんにより景品を交付した費用　1,150,000円

(3) 当社の特約店を旅行に招待した費用　　　　　　　　　　　　1,750,000円

　　なお、この企画にはメーカーの協賛を得ていたので、メーカーから交付された協賛金900,000円は雑益に計上している。

(4) 当社工場内で業務上の事故により負傷した下請従業員に対して、当社従業員に準じて支給した見舞金品の費用　　　　　　　　　　　　　　　　　　200,000円

(5) 当社の20周年を記念して得意先を招待して開催したパーティー費用2,400,000円の内訳は次のとおりである。

① 宴会に係る飲食費（１人当たりの金額は10,000円を超えている。） 2,000,000円

② 記念品代 400,000円

(6) 当社の特約店に専属するセールスマンの慰安旅行費用の当社負担額 780,000円

解　答

１．交際費の損金不算入額

(1) 支出交際費の額

1,200,000円＋（750,000円＋2,250,000円）＋11,430,000円－1,150,000円－900,000円
－200,000円－780,000円＝12,600,000円

(2) 損金不算入額

12,600,000円－2,000,000円×50％＝11,600,000円 （加・流）

２．前期預り交際費認容

2,250,000円 （減・留）

解答への道

１．販売奨励金（措通61の４(1)-7）、特約店従業員（措通61の４(1)-14）、売上割戻し（措通61の４(1)-4、61の４(1)-6）、取引の謝礼（措通61の４(1)-15(9)）、一般消費者（措通61の４(1)-9(4)）、特約店の旅行招待（措通61の４(1)-15(4)）、下請従業員（措通61の４(1)-18）、パーティー費用（措通61の４(1)-15(1)、61の４(1)-10(1)）、セールスマン（措通61の４(1)-13(2)）

２．旅行等に招待するための売上割戻しは交際費に該当するが、預り金として積立てた時点では交際接待の事実がないので交際費としての認識は行わず、その預り金を取崩して旅行に招待した時点で交際費として認識する。本問では、次のようになる。

《前　　　期》	《当　　　期》
売上割戻し 2,250,000円／預り金 2,250,000円 （加・留）預り交際費否認　　2,250,000円	預り金 2,250,000円／現金 2,250,000円 （減・留）前期預り交際費認容 2,250,000円

３．２以上の法人が共同して接待等をしてその費用を分担した場合には、その分担額がそれぞれの法人の交際費となるのである。従って、共同して得意先を旅行に招待した場合に、当社が得意先の旅行招待費用を全額負担し、他社から協賛金を受け取るようなときには、旅行招待費用から協賛金を控除した残額が当社の交際費となる。（他社にとっては協賛金が交際費となる。）

（措通61の４(1)－15(4)(5)）

メーカー ── 協賛金 90 万円 → 当　　社 ── 旅行招待 175 万円 → 得　意　先

メーカーの交際費は90万円

当社の交際費　175万円−90万円＝85万円

4．期末資本金が1億円を超えるため接待飲食費の50％を超える金額が損金不算入となる。

第14章

租 税 公 課

1 個別論点のチェック

項　　　　目	参照条文	問1	問2	問3	問4	問5	問6	問7	問8	問9
1．法人税等の 損金不算入	法38等	○	○	○		○	○	○		○
2．租税の損金 算入時期	基通9-5-1		○							○
3．強制徴収に 係る所得税	基通9-5-3									○
4．役員に対する 罰科金等	基通9-5-8	○	○							
5．還付金等の 益金不算入	法26				○					
6．控除対象外消費 税額等の損金算入	令139の4								○	
7．法人税等調整額							○			

2 他項目との関連

　租税公課は、本試験に頻繁に出題される項目であり、完全解答できるようにしておく必要がある。次の点を除き、租税公課自体が他項目の計算に影響を与えることはまずないが、課税留保金額及び利益積立金額の計算上、損金不算入の租税公課の「留保」と「社外流出」の区分が関係するので、この点は注意してほしい。

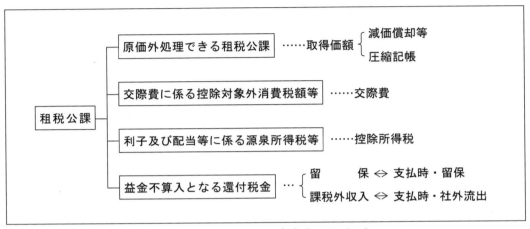

（注）事業税について、特別法人事業税に関しては考慮する必要はない。

問 題 1	基本型		重 要 度	A

次の資料により、当期（令和7年4月1日～令和8年3月31日）における税務上調整すべき金額を計算しなさい。

1．納税充当金の異動状況は次のとおりである。

区　　　分	期首現在高	当期減少高	当期増加高	期末現在高
法　人　税	33,600,000円	33,600,000円		
住　民　税	2,400,000	2,400,000		
事　業　税	9,800,000	9,800,000		
合　　　計	45,800,000円	45,800,000円	62,300,000円	62,300,000円

（注1）地方法人税については考慮不要である。

（注2）期首現在高及び当期増加高は、それぞれ前期（令和6年4月1日～令和7年3月31日）及び当期において損金経理により計上した金額である。

2．当期に損金経理により納付した租税公課には、次のものが含まれている。

(1) 当期中間申告分法人税額　　　　　　　　　　16,500,000円

(2) 当期中間申告分住民税額　　　　　　　　　　1,258,000円

(3) 当期中間申告分事業税額　　　　　　　　　　4,855,000円

(4) 印紙税（うち過怠税 130,000円を含む。）　　1,530,000円

(5) 固定資産税・都市計画税　　　　　　　　　　2,980,000円

(6) 自動車税　　　　　　　　　　　　　　　　　1,200,000円

(7) 使用人が業務中に犯した交通違反の反則金　　100,000円

解　答

1．納税充当金の取崩等

（加・留）損金経理納税充当金　　　　　62,300,000円

（減・留）納税充当金支出事業税等　　　　9,800,000円

2．損金経理

（加・留）損金経理法人税等　　　　　　16,500,000円

（加・留）損金経理住民税　　　　　　　　1,258,000円

（加・流）損金経理附帯税等　　　　　　　　130,000円

（加・流）損金経理交通反則金　　　　　　　100,000円

1. 当期に計上した納税充当金は、費用の見積計上であり、債務未確定のものとして損金不算入となる。

2. 事業税は申告した時に損金算入が認められるので、納税充当金から支出した前期確定申告分事業税は当期の損金の額に算入される。（基通9-5-1(1)）

3. 業務の遂行に関連して課された罰科金を法人が負担した場合には、損金不算入となる。

(基通9-5-8)

問題 2　納税充当金の戻入　重要度 A

次の資料により、当期（令和7年4月1日～令和8年3月31日）における税務上調整すべき金額を計算しなさい。

1. 納税充当金の異動状況は、次のとおりである。

区　分	期首現在高	当期減少高	当期増加高	期末現在高
法　人　税	23,200,000円	23,200,000円		
県　市　民　税	1,810,000	1,810,000		
事　業　税	5,830,000	5,830,000		
合　計	30,840,000円	30,840,000円	25,940,000円	25,940,000円

（注1）地方法人税については考慮不要である。

（注2）期首現在高及び当期増加高は、それぞれ前期（令和6年4月1日～令和7年3月31日）及び当期において損金経理により計上した金額である。

（注3）当期減少高は、次の税額を納付するために取り崩したものであるが、残余が生じたので利益に戻し入れている。

①	前期確定申告分法人税額	22,380,000円
②	前期確定申告分県市民税額	1,770,000円
③	前期確定申告分事業税額	5,180,000円

２．当期に損金経理した租税公課の内訳は、次のとおりである。

(1) 当期中間申告分法人税額　　11,190,000円

(2) 当期中間申告分県市民税額　　885,000円

(3) 当期中間申告分事業税額　　2,590,000円

(4) 前期の所得に係る更正により課された追徴税額

① 法人税追徴税額　　1,690,000円

② 過少申告加算税　　90,000円

③ 延滞税額　　50,000円

④ 事業税追徴税額　　376,500円

　　なお、事業税の追徴税額は期末現在未納となっている。

(5) 役員が業務外に犯した交通違反に課された交通反則金　　80,000円

解　答

1. 納税充当金の取崩等

（加・留）損金経理納税充当金　　25,940,000円

（減・留）納税充当金支出事業税等　　5,180,000円

（減・留）納税充当金戻入益認容　　1,510,000円……30,840千円－（22,380千円＋

1,770千円＋5,180千円）＝1,510千円

2. 損金経理

（加・留）損金経理法人税等　　12,880,000円……11,190千円＋1,690千円＝12,880千円

（加・留）損金経理住民税　　885,000円

（加・流）損金経理附帯税等　　140,000円……90千円＋50千円＝140千円

（加・流）役員給与の損金不算入額　　80,000円

解答への道

1．納税充当金の戻入益は、二重課税を排除するため、認容減算する。

2．更正により追徴された事業税は、更正のあった日に債務が確定したものとされるので、納付したか否かにかかわらず、更正があった時の損金とされる。（基通9-5-1(1)）

3．業務外の交通反則金を法人が負担した場合には、その課された者に対する給与となる。

（基通9-5-8）

問 題 3　仮払税金

次の１と２について、それぞれ当期及び翌期における税務上調整すべき金額を計算しなさい。

1. 当期に納付した中間申告法人税等は次のとおりであり、いずれも仮払金として経理している。なお、地方法人税については考慮不要とする。

　(1)　中間申告分法人税額　　　　　2,800,000円

　(2)　中間申告分住民税額　　　　　　200,000円

　(3)　中間申告分事業税額　　　　　　750,000円

　(4)　(1)に係る延滞税　　　　　　　124,000円

2. 翌期において、上記１の仮払金を租税公課として消却した。

解　答

1．仮払金の計上

　(加・留)　損金経理法人税等　　　　　2,800,000円

　(加・留)　損金経理住民税　　　　　　　200,000円

　(加・流)　損金経理附帯税等　　　　　　124,000円

　(減・留)　仮払租税公課認定損　　　　3,874,000円………2,800千円＋200千円＋750千円

　　　　　　　　　　　　　　　　　　　　　　　　　　　＋124千円＝3,874千円

2．仮払金の消却

　(加・留)　前期仮払租税公課否認　　　3,874,000円

解答への道

1. 仮払金経理により租税公課を納付した場合には、損金不算入のものは所得金額に影響しないが、利益積立金額（別表５(一)のⅠ）の計算に関係するので、加算・社外流出と減算・留保の両建記入を行う。

2. 仮払金を租税公課として消却したときは、既に前期の所得計算上減算しているので、当期は仮払金消却分はその内容にかかわらずすべて加算する。

問 題 4　還付税金　　　　　　　　　　　　重要度 | A

次の場合において、税務上調整すべき金額を計算しなさい。

当期中に次の税金の還付を受け、雑収入に計上している。なお、地方法人税については考慮不要とする。

(1)　前期中間納付分法人税額　　　　　　3,500,000円

(2)　前期中間納付分都民税額　　　　　　　256,000円

(3)　前期中間納付分事業税額　　　　　　　978,200円

(4)　上記(1)に係る延滞税の額　　　　　　　15,400円

(5)　前期に納付した源泉徴収所得税額　　　170,100円

(6)　欠損金の繰戻しによる還付金　　　　2,330,100円

(7)　上記(1)から(6)までに係る還付加算金　199,460円

解 答

（減・留）法人税等の還付金　　3,756,000円……3,500千円＋256千円＝3,756千円

（減・課）所得税等の還付金　　2,515,600円……15,400円＋170,100円＋2,330,100円＝2,515,600円

解答への道

1．支払時に損金算入の租税（本問では事業税と利子税）は、還付時は益金算入となる。また支払時に損金不算入の租税（本問では法人税、住民税、延滞税及び所得税）及び欠損金の繰戻しによる還付金は、還付時は益金不算入となる。（法26①）

2．課税留保金額の計算を考慮して、別表4の表示上は減算・留保（法人税と住民税）となる還付金と減算・課税外収入（延滞税、所得税と欠損金の繰戻し還付金）となる還付金に区別して記載する。

3．還付加算金は還付税金に係る利子であるため、益金算入となる。

次の資料により、当社の当期（令和7年4月1日～令和8年3月31日）における税務上調整すべき金額を計算しなさい。

1．当期中の納税充当金の異動の状況は、次のとおりである。

| 区 分 | 当期首現在額 | 期　中　減　少　額 | | 当期引当額（当期末現在額） |
		仮払金として経理されていた前期中間申告分の消却による取崩し	前期確定申告分の納付による取崩し	
法人税		38,800,000円	30,200,000円	
住民税		2,900,000	2,200,000	
事業税		9,900,000	8,100,000	
合　計	92,100,000円	51,600,000円	40,500,000円	162,750,000円

（注1）地方法人税については考慮不要である。

（注2）「当期現在額」は前期（自令和6年4月1日　至令和7年3月31日）に、また「当期引当額（当期末現在額）」は当期に、それぞれ損金経理により引き当てたものである。

（注3）　前期分に係る法人税、住民税及び事業税で当期末に未納となっているものはない。

2．当期中に納付した次の租税公課については、それぞれ次のように経理している。

①　当期中間申告分の法人税34,400,000円、住民税2,650,000円及び事業税9,000,000円については、仮払金として経理しており、翌期（自令和8年4月1日　至令和9年3月31日）に納税充当金を取り崩して消却する予定である。

②　次の租税公課については、当期に損金経理している。

　　イ．源泉所得税に係る不納付加算税　　　　　　75,000円

　　ロ．印紙税の過怠税　　　　　　　　　　　　　32,000円

　　ハ．固定資産税　　　　　　　　　　　　23,850,000円

解　答

前期仮払租税公課否認	51,600,000円	（加・留）
損金経理納税充当金	162,750,000円	（加・留）
損金経理法人税等	34,400,000円	（加・留）
損金経理住民税	2,650,000円	（加・留）
損金経理附帯税等	107,000円	（加・流）…75千円＋32千円＝107千円
仮払租税公課認定損	46,050,000円	（減・留）…34,400千円＋2,650千円＋9,000千円
		＝46,050千円
納税充当金支出事業税等	8,100,000円	（減・留）
納税充当金戻入益認容	51,600,000円	（減・留）

解答への道

前期に引き当てた納税充当金の仮払金消却部分の取崩しは次のように考え、調整を行う。

納税充当金　51,600,000円／仮　払　金　51,600,000円

⇓

租 税 公 課　51,600,000円／仮　払　金　51,600,000円　→　前期仮払租税公課否認（加算）

納税充当金　51,600,000円／納税充当金　51,600,000円　→　納税充当金戻入益認容（減算）
戻　入　益

なお、「前期仮払租税公課否認51,600,000円（加・留）」と「納税充当金戻入益認容51,600,000円（減・留）」は、加減同額であるため、別表4の記載を省略することもできる。

税効果会計を適用している場合 　重 要 度　 B

　次の資料により、当社の当期（令和7年4月1日～令和8年3月31日）における税務上調整すべき金額を計算しなさい。

1．当社は従来から税効果会計を導入している。当社の当期の損益計算書（末尾）は、次のとおりである。なお、法人税、住民税及び事業税の額は、当期の所得に対するものである。

　　損益計算書の末尾の一部
　　　　　　　　　　　：

税 引 前 当 期 利 益	160,000,000円	
法人税、住民税及び事業税	80,000,000円（注）	
法 人 税 等 調 整 額	△16,000,000円	64,000,000円
当 期 純 利 益		96,000,000円

（注）損益計算書の「法人税、住民税及び事業税」の内訳は次のとおりである。なお、地方法人税については考慮不要とする。

税　　目	区　分	金　　額	備　　考
法　人　税	当期予定申告分	25,200,000円	
住　民　税	当期予定申告分	1,800,000円	均等割額を含む。
事　業　税	当期予定申告分	9,000,000円	
法人税、住民税、事業税	当期確定申告分	44,000,000円	未払計上分
合　　　　計		80,000,000円	

2．前期（令和6年4月1日～令和7年3月31日）の所得に対する法人税、住民税及び事業税の額30,000,000円（うち事業税部分7,500,000円）は納税充当金を取り崩して充当している。

解 答

損金経理法人税等	25,200,000円	（加・留）
損金経理住民税	1,800,000円	（加・留）
損金経理納税充当金	44,000,000円	（加・留）
法人税等調整額	16,000,000円	（減・留）
納税充当金支出事業税等	7,500,000円	（減・留）

1. 「法人税、住民税及び事業税」のうち当期予定申告分は中間申告分の租税であるため法人税及び住民税については別表4で加算する。また、「法人税、住民税及び事業税」のうち当期確定申告分は、見積計上の租税であるため損金経理納税充当金として別表4で加算する。

2. 法人税等調整額は、「法人税、住民税及び事業税」からの控除項目（利益に加算されている）のため、別表4で減算する。

問題 7　納税充当金　　　　　　　　　　重要度　A

　次の資料により、当社の当期（令和7年4月1日〜令和8年3月31日）における税務上調整すべき金額を計算しなさい。

1. 納税充当金の異動状況は下記のとおりである。なお、納税充当金の税務調整は納税充当金の異動に応じて行うものとし、地方法人税については考慮不要とする。

期首現在額	期中増加額	期中減少額	期末現在額
58,000,000円	235,500,000円	133,500,000円	160,000,000円

① 期首現在額及び期中増加額はいずれも前期（令和6年4月1日〜令和7年3月31日）及び当期において損金経理により引当てたものである。

② 期中増加額は、下記の税額に係るものである。

　　イ．当期中間申告分法人税　　　　　　　　　　　　　　50,900,000円

　　ロ．当期中間申告分住民税　　　　　　　　　　　　　　　3,600,000円

　　ハ．当期中間申告分事業税　　　　　　　　　　　　　　21,000,000円

　　ニ．当期確定申告分法人税、住民税及び事業税の合計額　160,000,000円

③ 期中減少額は、下記の税額を納付するために取り崩したものである。

　　イ．前期確定申告分法人税　　　　　　　　　　　　　　40,100,000円

　　ロ．前期確定申告分住民税　　　　　　　　　　　　　　　2,900,000円

　　ハ．前期確定申告分事業税　　　　　　　　　　　　　　15,000,000円

　　ニ．当期中間申告分法人税　　　　　　　　　　　　　　50,900,000円

　　ホ．当期中間申告分住民税　　　　　　　　　　　　　　　3,600,000円

　　ヘ．当期中間申告分事業税　　　　　　　　　　　　　　21,000,000円

第14章

租税公課

解 答

損金経理納税充当金　　　235,500,000円（加・留）

納税充当金支出事業税等　　36,000,000円（減・留）…15,000千円＋21,000千円＝36,000千円

解答への道

納税充当金の税務調整は両建て（納税充当金の異動に応じて税務調整）で行えばよい。

納 税 充 当 金 の 計 算			
期 首 納 税 充 当 金		58,000,000円	
繰入額	損金経理をした納税充当金	235,500,000円	←加算
取崩額	法 人 税 額 等	97,500,000円	
	事 業 税	36,000,000円	←減算
	その他 損 金 算 入		
	損 金 不 算 入		
	仮 払 税 金 消 却		
	計	133,500,000円	
期 末 納 税 充 当 金		160,000,000円	

問 題 8　資産に係る控除対象外消費税額等　　　重要度 B

次の資料により、当期（令和7年4月1日〜令和8年3月31日）における税務上調整すべき金額を計算しなさい。

1．当期において費用計上された租税公課の額には、控除対象外消費税額等2,458,320円が含まれている。

2．当社は、消費税の処理について、期中に税込みで経理をし、期末において次の処理を行っている。

借 方		貸 方		左のうち控除対象外消費税の額
仮 払 消 費 税	8,194,400円	材 料 仕 入	3,000,000円	900,000円
		（うち期末棚卸分）	（610,000）	（183,000）
		建 物	3,600,000	1,080,000
		器 具 備 品	74,400	22,320
		その他の経費	1,520,000	456,000

売 上	9,000,000円	仮 受 消 費 税	9,000,000円	
仮 受 消 費 税	9,000,000円	仮 払 消 費 税	8,194,400円	
租 税 公 課 (控除対象外消費税額等)	2,458,320	未 払 消 費 税	3,263,920	

（注）当期における消費税法上の課税売上割合は80％未満である。

解 答

（繰延消費税額等）

(1) 損金算入限度額　　　$1,080,000円 \times \dfrac{12}{60} \times \dfrac{1}{2} = 108,000円$

(2) 限度超過額　　　$1,080,000円 - 108,000円 = 972,000円$（加・留）

解答への道

1．課税売上割合が80％未満である場合に、資産に係る控除対象外消費税額等（棚卸資産に係るもの及び一の資産に係る控除対象外消費税額等が20万円未満のものを除く。）は繰延消費税額等として5年間で損金算入する。（令139の4③）

2．資産に係る控除対象外消費税額等のうち、棚卸資産に係るもの及び一の資産に係る控除対象外消費税額等が20万円未満のものは損金経理により一時に損金算入される。（令139の4②）

問題 9　複合問題

重要度　C

次の資料により、当期（令和7年4月1日～令和8年3月31日）における税務上調整すべき金額を計算しなさい。

1．当期分の確定申告により納付することとなる法人税、事業税並びに県民税及び市民税の見積額20,000,000円を納税充当金繰入として費用に計上した。なお、地方法人税については考慮不要とする。

2．期中に納付した前期（令和6年4月1日～令和7年3月31日）確定申告分法人税9,850,000円、前期確定申告分事業税3,000,000円並びに前期確定申告分県民税及び市民税の合計額690,000円については、前期において費用に計上した納税充当金を取り崩す経理をした。

3．当期に納付し費用に計上した租税公課は、次のとおりである。

(1) 当期中間申告分法人税　　　　　　　　　　　　　　　4,920,000円

(2) 当期中間申告分県民税及び市民税　　　　　　　　　　350,000円

なお、当期中間申告分事業税1,500,000円は未納であり、何らの処理もしていない。

(3) 建物の取得に際して支払った不動産取得税　　　　　　　　　200,000円

(4) 事業に係る事業所税　　　　　　　　　　　　　　　　　　1,360,000円

　　　当期に係るものであり、未払金として計上しているが、当期の製造原価に算入していない。

4．当社は消費税の経理については税込経理方式を採用しており、当期に申告納付した前期分確定消費税8,400,000円については当期の費用に計上している。

解　答

損金経理納税充当金	20,000,000円	（加・留）
納税充当金支出事業税等	3,000,000円	（減・留）
損金経理法人税等	4,920,000円	（加・留）
損金経理住民税	350,000円	（加・留）
未納事業税認定損	1,500,000円	（減・留）
未納事業所税否認	1,360,000円	（加・留）

解答への道

1．中間申告に係る事業税は申告時点で債務が確定したものとして損金に算入することができるので、たとえ未納であっても未払金に計上することになる。（基通9-5-1(1)）

2．建物の取得に際して支出した不動産取得税は、原価外処理することができる。（基通7-3-3の2）

3．事業所税は申告納税方式の租税である。したがって、損金算入時期は申告した事業年度とするのが原則である。しかし、申告期限未到来の事業所税を製造原価等に含めている場合にその事業所税を損金経理により未払金に計上したときは、その損金経理した事業年度に損金算入することを認めている。（基通9-5-1(1)）

4．税込経理方式を適用している場合の消費税の損金算入時期は原則として申告した事業年度とする。（基通9-5-1(1)）

第15章

貸 倒 損 失

1 個別論点のチェック

項　　　目	参照条文	問1
１．金銭債権の切捨て	基通９－６－１	○
２．回収不能の金銭債権	基通９－６－２	○
３．一定期間取引停止後	基通９－６－３	○

2 他項目との関連

　貸倒損失は、その是否認額が貸倒引当金の設定対象債権に直接影響を与えるものであり、本試験においても貸倒引当金とからめて出題される。従って、貸倒損失は、貸倒引当金の計算過程の一部と考えてほしい。

　このほか、相手に弁済能力があるにもかかわらず書面により債務免除した場合には、寄附金となることがある。

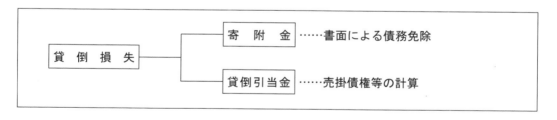

次の1～3について、当期（令和7年4月1日～令和8年3月31日）における税務上調整すべき金額を計算しなさい。

1．金銭債権の切捨て

(1) 当期中に取引先A商店に対して民事再生法による再生計画認可の決定が行われ、同商店に対して当社が有している受取手形4,000,000円と貸付金5,000,000円の60％が切捨てられることになった。当社としては諦めきれないので、当期においては何の処理もしていない。

(2) 得意先B商事に対して貸付金3,000,000円を有しているが、営業政策の失敗から債務超過状態が数年間継続しており、事業好転の見通しがないため貸付金の弁済を受けることが困難であると認められる。そこで、当期に貸付金3,000,000円を免除する旨を文書により通知し、貸倒損失として3,000,000円を計上した。

2．回収不能の金銭債権

(1) 取引先C社に対する売掛金が3,000,000円あるが、うち2,000,000円は同社の資産状況、支払能力からみて回収できないことが明らかであるので2,000,000円を損金経理により貸倒処理した。なお、同社から担保物の提供は受けていない。

(2) 得意先D商店に対して受取手形が6,000,000円あるが、同商店の資産状況、支払能力からみて、その全額の回収が困難と思われる。なお、D商店所有の宅地に2,000,000円の根抵当権を設定しているので、当社は6,000,000円との差額4,000,000円を貸倒損失として処理した。

3．一定期間取引停止後弁済がない場合

(1) 数年来取引を続けていたE社は支払能力が急速に悪化したため昨年から取引を停止しており、当期末で取引停止後1年6カ月になる。そこで、E社に対する貸付金1,000,000円売掛金800,000円について、それぞれ備忘価額1円を残し貸倒れとして貸付金999,999円及び売掛金799,999円を損金経理した。

(2) 北海道地域の取引先各社の売掛金残高を検討したところ、次の取引先は再三にわたる支払の督促にもかかわらず、当期末までに弁済が行われておらず、各取引先に各々1円ずつの備忘価額を付して、189,997円を貸倒損失として処理した。

	（売掛金）	（取立費用）
F商店	50,000円	70,000円
G商店	20,000円	40,000円
H商店	120,000円	50,000円

解　答

1．金銭債権の切捨て

（1）貸倒損失認定損　　　　5,400,000円（減・留）

（2）是　認

2．回収不能の金銭債権

（1）貸倒損失否認　　　　2,000,000円（加・留）

（2）貸倒損失否認　　　　4,000,000円（加・留）

3．一定期間取引停止後弁済がない場合

（1）貸倒損失否認　999,999円（加・留）

（2）貸倒損失否認　189,997円（加・留）（190,000円（売掛金）＞160,000円（取立費用））

解答への道

1．金銭債権の切捨て（基通9-6-1）

（1）再生計画認可の決定による金銭債権の切捨ては法的な債権の消滅に該当し、金銭債権の一部
でも貸倒損失の計上が強制される。

（2）債務者に債務超過の状態が相当期間継続し、金銭債権の弁済を受けることができないと認め
られる場合には、債務者に対して書面により債務免除の事実を明らかにしていれば貸倒損失と
して処理できる。

2．回収不能の金銭債権（基通9-6-2）

（1）債務者の資産状態、支払能力からした貸倒損失の計上は、金銭債権の全額が回収不能でなけ
れば貸倒損失の計上が認められない。

（2）債務者の資産状態、支払能力からした貸倒損失の計上は、金銭債権に担保物がある場合には、
担保物処分後でなければ、貸倒損失の計上は認められない。

3．一定期間取引停止後弁済がない場合（基通9-6-3）

（1）この通達により貸倒処理できる債権は売掛債権に限られ、貸付金は対象とならない。

（2）同一地域の債務者に対して有する売掛債権に貸倒処理が認められるのは、その地域の売掛金
総額が取立費用の総額に満たない場合であり、各商店ごとの売掛金と取立費用の比較ではない。

MEMO

第16章

経　　費

1　個別論点のチェック

項　目		参照条文	問1	問2
保険料	1．養老保険	基通9－3－4	○	
	2．定期保険	基通9－3－5	○	
	3．定期付養老保険	基通9－3－6	○	
	4．傷害特約	基通9－3－6の2	○	
会費・入会金	5．ゴルフクラブ	基通9－7－11～13		○
	6．ロータリークラブ・ライオンズクラブ	基通9－7－15の2		○
	7．同業者団体	基通9－7－15の3		○

2　他項目との関連

　　これらの項目は、いずれも給与や交際費等となる部分をいかに識別するかにポイントがあり、他項目との関連においてのみ出題されるものである。従って、各規定をしっかり整理・把握してほしい。

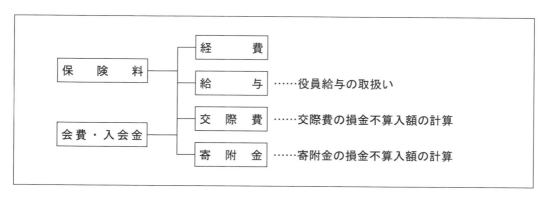

次の1～3の各事例について、当社の当期（令和7年4月1日～令和8年3月31日）における税務上調整すべき金額を計算しなさい。なお、支払った金額は、全額費用処理している。

1．養老保険

(1) 当社は、全従業員を被保険者とし、自己を保険金受取人とする養老保険をA保険会社と契約し、当期中の4月1日に1年分の保険料2,000,000円を支払った。なお、この養老保険には傷害特約が付されており、保険証券でその年額保険料のうち1,600,000円が主契約分、残額の400,000円が特約分とされている。

(2) 当社は、全従業員を被保険者とし、被保険者（本人死亡の場合には、その遺族）を保険金受取人とする養老保険をB保険会社と契約し、当期中の6月1日に当期分の保険料1,200,000円を支払った。

(3) 当社は、役員のみを被保険者とし、生存保険金の受取人を自己、死亡保険金の受取人を被保険者の遺族とする養老保険をC保険会社と契約し、当期中の2月1日に当期分の保険料1,400,000円（うち傷害特約に係る保険料300,000円を含む。）を支払っている。

2．定期保険

(1) 当社は、全従業員を被保険者とし、自己を保険金受取人とする定期保険をD保険会社と契約し、当期中の4月1日に1年分の保険料1,000,000円を支払った。

(2) 当社は、部長職以上の地位にある従業員を被保険者とし、被保険者の遺族を保険金受取人とする定期保険をE保険会社と契約し、当期中の9月1日に当期分の保険料3,000,000円を支払った。なお、保険料のうち400,000円は傷害特約に係る保険料であることが、保険証券において明らかにされている。

3．定期付養老保険

(1) 当社は、全従業員を被保険者とし、自己をすべての保険金の受取人とする定期付養老保険をF保険会社と契約し、当期中の7月1日に当期分の保険料4,000,000円を支払った。保険証券によると、支払保険料のうち2,500,000円が養老保険分、1,000,000円が定期保険分、500,000円が傷害特約分であるとされている。

(2) 当社は、全従業員を被保険者とし、自己を生存保険金、被保険者の遺族を死亡保険金の受取人とする定期付養老保険をG保険会社と契約し、当期中の11月1日に当期分の保険料2,800,000円を支払っている。保険料は、養老保険分と定期保険分に区分されていない。

1．養老保険

(1) 積立保険料計上もれ　　　　　　　　1,600,000円（加・留）

(2) 是　認

(3) 積立保険料計上もれ　　　　　　　　550,000円（加・留）

2．定期保険

(1) 是　認

(2) 是　認

3．定期付養老保険

(1) 積立保険料計上もれ　　　　　　　　2,500,000円（加・留）

(2) 積立保険料計上もれ　　　　　　　　1,400,000円（加・留）

解答への道

1．養老保険（基通9-3-4）

(1) 自己を保険金の受取人とする場合には、主契約部分は資産計上する。ただし、傷害特約分は原則として期間の経過に応じて損金算入する。（基通9-3-6の2）

(2) 従業員又はその遺族を保険金受取人とする場合には、すべての保険料が定期かつ定額の給与となる。従って、所得金額の計算上直接的な調整は要しないが、過大分の計算に含めることになる。

(3) 保険金受取人が自己と従業員の遺族に区分されているため、支払保険料（傷害特約分を除く。）の $\frac{1}{2}$ は資産計上し、残額は特定の者（役員）を被保険者としているため定期かつ定額の給与となる。

2．定期保険（基通9-3-5、2-2-14）

(1) 自己を保険金の受取人とする場合には、保険料を期間の経過に応じて損金算入する。

(2) 特定の者を被保険者としており、かつ、保険金受取人が被保険者の遺族の場合には、すべての保険料が定期かつ定額の給与となる。

3．定期付養老保険（基通9-3-6）

(1) 保険料の内容が区分されている場合には、養老保険部分は養老保険の例により、定期保険部分及び傷害特約分は定期保険の例による。

(2) 保険料の内容が区分されていない場合には、すべての保険料は養老保険の例による。

第16章

経費

次の１～３の各事例について、当社の当期（令和７年４月１日～令和８年３月31日）における税務上調整すべき金額を計算しなさい。なお、当社の期末資本金は３億円であり、支出した金額はすべて損金経理している。

１．ゴルフクラブ

(1)　Ａカントリークラブに法人会員として入会し、当期中に支出した金額は次のとおりである。

① 　入会金　　　5,000,000円

② 　年会費　　　360,000円

③ 　プレー料　　440,000円（うち 200,000円は社長が個人的に使用したものである。）

④ 　名義書換料　600,000円

(2)　法人会員制度のないＢゴルフクラブに、業務上の必要から代表取締役甲氏名義で個人会員として入会し、資産に計上していたところ、このたび甲氏の退職に伴い名義を乙氏に変更するため、Ｂゴルフクラブに名義書換料を500,000円支払っている。

(3)　Ｃゴルフクラブは預託金制のゴルフクラブであるが、Ｃゴルフクラブにつき令和８年２月５日に民事再生法による再生計画認可の決定があり預託金の50％が切捨てられたが当社は何ら処理をしていない。なお、このＣゴルフクラブは、加入に際し12,000,000円（預託金部分4,000,000円）を支出し、前期以前において既に資産に計上している。

２．ロータリークラブ・ライオンズクラブ

当期中に当社社長がライオンズクラブへ入会した際に次の金額を支出した。

(1)　入会金　　　　800,000円

(2)　経常会費　　　220,000円

(3)　特別会費　　　 80,000円（近隣の駅にくずかごを寄贈するために徴収したもの。）

３．同業者団体

当期中の10月に同業者団体（社交団体ではない。）が結成され、次の金額を支出し加入している。

(1)　当該団体への加入金　　1,000,000円

この加入金は出資の性格は有しておらず、構成員としての地位を他に譲渡することはできない。

(2)　当該団体への会費の内訳

① 　通常会費　　　200,000円（不相当に高額な剰余金はない。）

② 　特別会費　　　800,000円

特別会費は、当該団体において会員相互の懇親費用として700,000円支出されており、残額100,000円は団体の会館建設資金に充てられるが、期末現在未支出となっている。

解　答

1．ゴルフクラブ

ゴルフクラブ入会金計上もれ	5,600,000円 *1	（加・留）

*1　5,000,000円＋600,000円＝5,600,000円

交際費等の損金不算入額	1,100,000円 *2	（加・流）

*2　360,000円＋（440,000円－200,000円）＋500,000円＝1,100,000円

役員給与の損金不算入額	200,000円	（加・流）
貸倒損失認定損	2,000,000円 *3	（減・留）

*3　4,000,000円×50％＝2,000,000円

2．ロータリークラブ・ライオンズクラブ

交際費等の損金不算入額	1,020,000円	（加・流）

3．同業者団体

繰延資産償却超過額	900,000円 *	（加・留）
交際費等の損金不算入額	700,000円	（加・流）
前払費用計上もれ	100,000円	（加・留）

$$* \quad 1,000,000円 - 1,000,000円 \times \frac{6}{5 \times 12} = 900,000円$$

解答への道

1．ゴルフクラブ（基通9-7-11〜9-7-13）

(1) ①法人会員としての入会金 → 資産計上、②年会費 → 交際費、③プレー料 → 業務上必要なものは交際費、その他のものは給与（臨時的なものなので損金不算入となる。）

(2) 現に保有している会員権の名義書換料 → 年会費と同じ取扱い

(3) 預託金制のゴルフクラブ会員権について預託金部分の法的切捨があった場合には貸倒損失を計上しなければならない。

2．ロータリークラブ・ライオンズクラブ（基通9-7-15の2）

① 入会金及び経常会費 → 交際費、②特別会費 → 使途に応じ寄附金又は交際費（本問では寄附金）

第16章 経費

3．同業者団体（基通8-1-11、9-7-15の3、措通61の4(1)-23(3)）

 ① 加入金

  出資の性格を有さず他に譲渡できないものは繰延資産（5年で償却)

 ② 通常会費

  多額の剰余金が生じていないときは支出時の損金

 ③ 特別会費

  その使途に応じて取扱う。但し、団体から支出されていないものは前払費用とする。

第17章

国庫補助金等

1 個別論点のチェック

項　　　　目	参照条文	問1	問2	問3
1．原則的な圧縮記帳	法42	○		
2．特別勘定経理	法43①		○	
3．特別勘定設定後の圧縮記帳	法44、令82		○	○
4．特別勘定の取崩し	法43②③、令81			○
5．返還不要の補助金	基通10－2－1	○		

2 他項目との関連

　圧縮記帳制度全般にいえることであるが、減価償却資産の圧縮記帳は常にその後の減価償却の計算に影響を及ぼす。また、国庫補助金等の圧縮記帳については、租税特別措置法上の特別償却等と併用が認められているので注意してほしい。

次の資料により、当社の当期（令和7年4月1日〜令和8年3月31日）における税務上調整すべき金額を計算しなさい。なお、当期末の資本金額は2億円である。

1．当社は令和7年8月10日に県から公害防止用の機械装置を設置するための補助金6,000,000円の交付を受け収益に計上している。当社では自己資金14,000,000円を加えて目的資産を同年12月に取得し、直ちに事業の用に供している。この補助金には次の条件が付されている。

　①　交付条件に違反した場合には返還しなければならない。

　②　一定期間に相当の収益が生じた場合には返還しなければならない。

2．当社は当期末に圧縮損5,500,000円、償却費1,000,000円を損金経理により計上している。

3．この機械装置の耐用年数は15年（定額法…… 0.067）であり、定額法により償却するものとする。

解 答

1．圧縮限度額　　　　　6,000,000円＜20,000,000円　　∴ 6,000,000円

2．圧縮不足額　　　　　5,500,000円－6,000,000円＝△500,000円（処理なし）

3．償却超過額

(1) 減価償却限度額　　$(20,000,000円－5,500,000円)\times0.067\times\dfrac{4}{12}＝323,833円$

(2) 減価償却超過額　　1,000,000円－323,833円＝676,167円（加・留）

解答への道

1．国庫補助金の返還不要が確定しており、目的資産を取得しているので、圧縮記帳ができる。

（法42）

2．問題文に掲げられているような一般的条件が付されていても、国庫補助金は返還不要が確定しているものとして取扱う。（基通10-2-1）

3．本問では圧縮不足となるため、減価償却の計算の基礎となる取得価額は、実際の取得価額から会計上の圧縮損を控除した金額である。（令54③）

　次の資料により、当社の当期（令和７年４月１日～令和８年３月31日）及び翌期（令和８年４月１日～令和９年３月31日）について下記１．２．の金額を計算しなさい。なお、当社の資本金は２億円である。

　当社は、令和７年７月に県から機械装置を設置するための補助金3,000,000円の交付を受け、自己資金7,000,000円を加えて目的資産を同年10月に取得し直ちに事業の用に供した。当該補助金については、その機械装置の稼働状況が所定の基準に達したことが証明されたときは、返還を要しないものとする旨の条件が付されている。これにより以下の問に答えなさい。なお、この機械装置の耐用年数は８年である。

１．当期末までに、返還不要が確定しなかった場合の特別勘定繰入限度額及び償却限度額を定率法と定額法の両方について計算しなさい。

２．上記１について、翌期首に当該補助金全額の返還不要が確定した場合の圧縮限度額及び償却限度額を定率法と定額法の両方について計算しなさい。

３．減価償却資産の定額法及び定率法（平成24年４月１日以後取得分）償却率、改定償却率及び保証率の表

耐用年数	定額法償却率	定 率 法		
		償却率	改定償却率	保証率
８年	0.125	0.250	0.334	0.07909

解 答

１．当 期

(1) 特別勘定繰入限度額　　　3,000,000円

(2) 償却限度額

① 定率法

　　イ．10,000,000円×0.250＝2,500,000円

　　ロ．10,000,000円×0.07909＝790,900円

　　ハ．イ≧ロ　　∴　2,500,000円

　　ニ．2,500,000円×$\frac{6}{12}$＝1,250,000円

② 定額法

$$10,000,000円 \times 0.125 \times \frac{6}{12} = 625,000円$$

2．翌　期

(1) 定率法

① 圧縮限度額　　　　イ．3,000,000円＜10,000,000円　　∴　3,000,000円

　　　　　　　　　　ロ．$3,000,000円 \times \dfrac{10,000,000円 - 1,250,000円}{10,000,000円} = 2,625,000円$

② 償却限度額

　　イ．$(10,000,000円 - 1,250,000円 - 2,625,000円) \times 0.250 = 1,531,250円$

　　ロ．$\left[10,000,000円 - 2,625,000円 \times \dfrac{10,000,000円}{10,000,000円 - 1,250,000円} \right] \times 0.07909 = 553,630円$

　　ハ．イ≧ロ　　　∴　1,531,250円

(2) 定額法

① 圧縮限度額　　　　イ．3,000,000円＜10,000,000円　　∴　3,000,000円

　　　　　　　　　　ロ．$3,000,000円 \times \dfrac{10,000,000円 - 625,000円}{10,000,000円} = 2,812,500円$

② 償却限度額　　　$\left[10,000,000円 - 2,812,500円 \times \dfrac{10,000,000円}{10,000,000円 - 625,000円} \right] \times 0.125$

　　　　$= 875,000円$

(3) なお、定額法及び定率法いずれの場合も特別勘定に経理した3,000,000円は取り崩して益金算入する。

解答への道

1．国庫補助金の返還不要が期末までに確定していない場合には、国庫補助金を特別勘定として経理することになる。なお、この段階で目的資産を取得して事業供用した場合には、本来の取得価額をベースとして減価償却を行う。（法43）

2．特別勘定経理後に国庫補助金の返還不要が確定した場合には、圧縮記帳を実施するとともに特別勘定を取り崩す。なお、取崩額は返還要否確定額に相当する金額であり、圧縮限度額と必ずしも一致するものではない。（法44、令81一）

3．先行取得資産に係る圧縮限度額は、過去の償却費を考慮して、本来の圧縮限度額を期首帳簿価額ベースに修正する。（令82）

　　次の資料により、当社の当期（令和7年4月1日～令和8年3月31日）における税務上調整すべき金額を計算しなさい。なお、当社は期末資本金1億円の青色申告法人で、租税特別措置法施行令第27条の4に規定する中小企業者等に該当する。

1．当社は、前期（令和6年4月1日～令和7年3月31日）の6月25日に国庫補助金10,000,000円の交付を受け収益計上しており、前期末までに当該補助金の返還不要が確定しなかったので、法人税法上の繰入限度額までの金額を特別勘定として損金経理した。

2．令和7年4月1日に当該補助金のうち8,000,000円の返還不要、2,000,000円の返還が確定したため、2,000,000円を雑損として費用に計上して国に返還した。返還不要となった補助金等をもって交付目的に適合した新品の機械装置を令和7年11月に取得し、直ちに事業の用に供している。なお、この機械装置は租税特別措置法第42条の6に規定する特定機械装置等に該当するものである。

取得価額	耐用年数 （償却率）	償却方法	備　　　　　考
20,000,000円	10年 （0.100）	定額法	この機械装置の据付費用500,000円は、雑費として処理した。

3．当社は、当期末において損金経理により機械装置の帳簿価額を10,000,000円減額し、当期償却費として3,000,000円を費用処理した。なお、特別勘定については何ら処理を行っていない。

解 答

1．特別勘定取崩不足額

　10,000,000円（加・留）

2．減価償却超過額

（1）圧縮限度額

　　20,000,000円＋500,000円＝20,500,000円＞8,000,000円　　　∴　8,000,000円

（2）圧縮超過額

　　10,000,000円－(1)＝2,000,000円

（3）償却限度額

　①　20,500,000円－8,000,000円＝12,500,000円

　②　$12,500,000円 \times 0.100 \times \dfrac{5}{12} + 12,500,000円 \times 30\% = 4,270,833円$

(4) 償却超過額

 (3,000,000円＋2,000,000円＋500,000円)－(3)＝1,229,167円　(加・留)

解答への道

1．国庫補助金の返還の要否が確定した場合には、その要否が確定した金額に相当する特別勘定の金額を取り崩さなければならない。(法43②③、令81)

2．機械装置の据付費用は、事業供用費用として取得価額に算入され、算入後の取得価額をベースに圧縮記帳を実施する。(令54①一)

3．法人税法上の圧縮記帳は、特定機械装置等の特別償却等と併用することが認められている。なお、当社は特定中小企業者等に該当しないため、特別控除の適用はない。

第18章

保 険 差 益

1　個別論点のチェック

項　　　目	参照条文	問1	問2	問3	問4
1．原則的な圧縮記帳	法47、令85	○		○	
2．特別勘定経理	法48①、令89		○	○	○
3．特別勘定の取崩し	法48②③、令90		○		
4．特別勘定設定後の圧縮記帳	法49、令91		○		
5．滅失損の計上時期	基通10－5－2				○
6．代替資産の範囲	基通10－5－3		○	○	
7．滅失経費の範囲	基通10－5－5	○	○	○	
8．共通経費のあん分	基通10－5－6	○		○	
9．先行取得資産の圧縮記帳	令85				○

2　他項目との関連

　国庫補助金等の圧縮記帳と同様に、保険差益の圧縮記帳もその後の減価償却との関係が重要な問題となり、租税特別措置法上の特別償却等との併用も認められている。

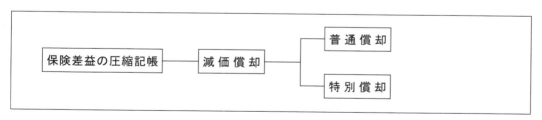

　次の資料により、当社の当期（令和７年４月１日〜令和８年３月31日）における税務上調整すべき金額を計算しなさい。なお、当期末の資本金額は３億円である。

１．令和７年６月20日に当社工場から出火し、次の資産を全焼したので、これらの資産の被災直前の帳簿価額を損失に計上するとともに、保険会社から受取った保険金を収益に計上している。

区　分	取得保険金額	被災直前の簿価	被災直前の時価	備　　考
建　物	48,000,000円	24,000,000円	25,460,000円	建物には繰越償却超過額が
機械装置	24,000,000	12,480,000	11,000,000	720,000円ある。
原 材 料	28,000,000	10,000,000	12,500,000	
合　計	100,000,000円	46,480,000円	48,960,000円	――――

　（注）上記の被災資産について、消防費240,000円、取壊し費1,000,000円、焼跡整理費800,000円及び類焼者賠償金2,000,000円を支出しており、いずれも雑費として処理した。

２．令和７年12月28日に受取った保険金により、被災資産に代替する資産として次の資産を取得し、直ちに事業の用に供している。当社では、これらの代替資産について損金経理により次の圧縮記帳と減価償却を実施している。

区　分	償却方法	耐用年数	取得価額	圧 縮 損	減価償却費
建　　物	定 額 法	38年	60,000,000円	22,500,000円	510,000円
機 械 装 置	定 率 法	10年	20,000,000	9,000,000	1,400,000

　（注）上記以外に代替資産を取得する予定はない。

３．減価償却資産の定額法、定率法（平成24年４月１日以後取得分）の償却率、改定償却率及び保証率の表

耐用 年数	定額法 償却率	定　　率　　法		
		償却率	改定償却率	保証率
10年	0.100	0.200	0.250	0.06552
38年	0.027	0.053	0.056	0.01882

　解　答

１．滅失経費のあん分

　（1）建　物　　$(240,000円 + 1,000,000円 + 800,000円) \times \dfrac{48,000,000円}{100,000,000円} = 979,200円$

　（2）機　械　　$(240,000円 + 1,000,000円 + 800,000円) \times \dfrac{24,000,000円}{100,000,000円} = 489,600円$

2．差引保険金

(1) 建　　物　　48,000,000円－979,200円＝47,020,800円

(2) 機　　械　　24,000,000円－489,600円＝23,510,400円

3．保険差益金

(1) 建　　物　　47,020,800円－(24,000,000円＋720,000円)＝22,300,800円

(2) 機　　械　　23,510,400円－12,480,000円＝11,030,400円

4．圧縮限度額

(1) 建　　物　　$22{,}300{,}800円 \times \dfrac{\overset{*}{47{,}020{,}800円}}{47{,}020{,}800円} = 22{,}300{,}800円$

　　　　　　　＊　47,020,800円＜60,000,000円　　　∴　47,020,800円

(2) 機　　械　　$11{,}030{,}400円 \times \dfrac{\overset{*}{20{,}000{,}000円}}{23{,}510{,}400円} = 9{,}383{,}421円$

　　　　　　　＊　23,510,400円＞20,000,000円　　　∴　20,000,000円

5．圧縮超過額（不足額）

(1) 建　　物　　22,500,000円－22,300,800円＝199,200円

(2) 機　　械　　9,000,000円－9,383,421円＝△383,421円（処理なし）

6．減価償却限度額

(1) 建　　物　　$(60{,}000{,}000円－22{,}300{,}800円) \times 0.027 \times \dfrac{4}{12} = 339{,}292円$

(2) 機　　械

①　(20,000,000円－9,000,000円)×0.200＝2,200,000円

②　(20,000,000円－9,000,000円)×0.06552＝720,720円

③　①≧②　　　∴　2,200,000円

④　$2{,}200{,}000円 \times \dfrac{4}{12} = 733{,}333円$

7．減価償却超過額

(1) 建　　物　　(510,000円＋199,200円)－339,292円＝369,908円（加・留）

(2) 機　　械　　1,400,000円－733,333円＝666,667円（加・留）

8．建物減価償却超過額認容

720,000円（減・留）

> **解答への道**

1．減失経費は、固定資産の滅失に直接関係するものに限られ、類焼者賠償金は対象とならない。

（基通10-5-5）

2．被災資産について支出した共通経費は、圧縮記帳の対象とならない原材料にも配賦する必要が

第18章

保険差益

あり、そのあん分は取得保険金の比により行う。（基通10-5-6）

3．保険差益金の計算の基礎となる滅失資産の帳簿価額は税法上の金額であるから、償却超過額を
会社簿価に加えて計算する。また償却超過額は対象資産が滅失しているので、認容減算すること
を忘れないようにしてほしい。（令85）

4．帳簿価額を直接減額した場合の圧縮超過額は、償却費として損金経理した金額となり、償却超
過額の計算に織り込まれる。（基通7-5-1(2)）

問題 2　特別勘定経理　　重要度 B

　次の資料により、当社の以下の各期における税務上調整すべき金額を計算しなさい。

1．前々期（令和5年4月1日〜令和6年3月31日）の令和5年9月15日において、当社所有の
木造倉庫（被災直前の帳簿価額12,000,000円）と製品（被災直前の帳簿価額8,600,000円）が
全焼し、その保険金として倉庫分 32,000,000円と製品分8,000,000円の支払を受けた。

　(1)　令和5年9月30日に倉庫に係る取壊し費2,000,000円とけが人見舞金1,000,000円を支
払った。

　(2)　当社は代替資産（社宅）の取得（取得予定額35,000,000円）に時間を要することが予
想されるため、倉庫分の保険金額から帳簿価額を控除した20,000,000円を前々期の確定し
た決算において、剰余金の処分により保険差益特別勘定積立金として積み立てた。

2．当期（令和7年4月1日〜令和8年3月31日）の令和7年8月9日に代替資産として木造
住宅を取得し、10月10日より事業の用に供した。

　(1)　代替資産の取得価額は35,000,000円であったので、当期の確定した決算において、剰
余金の処分により圧縮積立金19,000,000円を計上するとともに、保険差益特別勘定積立金
20,000,000円全額を取り崩している。

　(2)　建物の耐用年数は22年であり、定額法償却率は 0.046であり、当社は建物に対する償
却費として800,000円を損金経理している。

　(3)　上記2の代替資産の取得価額を20,000,000円とし、当期の確定した決算において、剰
余金の処分により10,000,000円を圧縮積立金として積み立てるとともに、保険差益特別勘
定積立金10,000,000円を取り崩し、償却費として500,000円計上している場合はどうなる
か。

解　答

1．前々期

　(1)　差引保険金　　　　　　　32,000,000円－2,000,000円＝30,000,000円

（2）保険差益金　　　　　$30,000,000円 - 12,000,000円 = 18,000,000円$

（3）特別勘定積立限度額　　$18,000,000円 \times \dfrac{\overset{*}{30,000,000円}}{30,000,000円} = 18,000,000円$

　　　　　　　　＊　　$35,000,000円 > 30,000,000円$　　∴　$30,000,000円$

（4）積立超過額　　　　　$20,000,000円 - 18,000,000円 = 2,000,000円$（加・留）

（5）保険差益特別勘定積立金積立　　$20,000,000円$（減・留）

２．当　期

（1）圧縮限度額　　　　　$18,000,000円 \times \dfrac{\overset{*}{30,000,000円}}{30,000,000円} = 18,000,000円$

　　　　　　　　＊　　$35,000,000円 > 30,000,000円$　　∴　$30,000,000円$

（2）積立超過額　　　　　$19,000,000円 - 18,000,000円 = 1,000,000円$（加・留）

（3）償却限度額　　　　　$(35,000,000円 - 18,000,000円) \times 0.046 \times \dfrac{6}{12} = 391,000円$

（4）償却超過額　　　　　$800,000円 - 391,000円 = 409,000円$（加・留）

（5）建物圧縮積立金積立　　　　　$19,000,000円$（減・留）

（6）保険差益特別勘定積立金取崩　　$20,000,000円$（加・留）

（7）保険差益特別勘定積立金積立超過額認容　　$2,000,000円$（減・留）

３．（3）の場合

（1）圧縮限度額　　　　　$18,000,000円 \times \dfrac{\overset{*}{20,000,000円}}{30,000,000円} = 12,000,000円$

　　　　　　　　＊　　$20,000,000円 < 30,000,000円$　　∴　$20,000,000円$

（2）圧縮不足額　　　　　$10,000,000円 - 12,000,000円 = \triangle 2,000,000円$（処理なし）

（3）償却限度額　　　　　$(20,000,000円 - 10,000,000円) \times 0.046 \times \dfrac{6}{12} = 230,000円$

（4）償却超過額　　　　　$500,000円 - 230,000円 = 270,000円$（加・留）

（5）建物圧縮積立金積立　　　　　$10,000,000円$（減・留）

（6）保険差益特別勘定積立金取崩　　$10,000,000円$（加・留）

（7）保険差益特別勘定積立金取崩不足額　　$8,000,000円$（加・留）

解答への道

１．けが人見舞金は滅失経費に該当せず、また取壊し費用は建物に係るものであるため共通経費とならず、取得保険金の比によりあん分する必要はない。（基通10-5-5、10-5-6）

２．代替資産は滅失資産と同一種類のものであればよく、構造・用途・細目等が同一であることを要しないので、社宅は倉庫の代替資産として認められる。なお、機械装置については、設備の種類が同一又は類似するものでなければならない。（基通10-5-3）

３．圧縮記帳が積立金方式のため、積立額をいったん減算し、圧縮超過額を別に加算する。直接減額方式のごとく償却計算に織り込まない。なお、減価償却限度額の計算は直接減額方式と同様に圧縮による損金算入額を控除した取得価額を基礎とする。

4．特別勘定積立金として経理している保険差益について代替資産を取得した場合には、圧縮記帳を行うとともに、特別勘定積立金のうち圧縮限度額相当を取崩さなければならない。ただし、本問では当期で指定期間が終了してしまうため、いずれにしても損金算入された特別勘定積立金の全額を取崩さなければならない。（令90、91）

| 問 題 3 | 複合問題 | 重要度 | B |

　次の資料により、当社の当期（令和7年4月1日〜令和8年3月31日）における税務上調整すべき金額を計算しなさい。なお、当社は製造業を営む期末資本金1億円の青色申告法人であり、当社株主に法人株主はいない。

1．当期中の6月に当社工場に火災が発生し、次の資産が全焼している。翌7月に次の保険金を収入したので収益に計上しており、その内訳は次のとおりである。

種　類	取得保険金額	被災直前の帳簿価額	備　　　　　考
建　　物	38,000,000円	9,485,000円	繰越償却超過額が 490,000円ある。
機械装置	10,000,000	2,812,500	塗料製造設備（耐用年数9年）
原 材 料	8,000,000	6,000,000	

(注) 被災した上記資産の帳簿価額及び被災により支出した次の諸経費はすべて費用に計上した。

　　　① 被災資産の取壊費　　　　　　2,000,000円

　　　② 被災者への弔慰金　　　　　　7,000,000円

　　　③ 類焼者に対する損害賠償金　　1,400,000円

　　　④ 焼跡整理費　　　　　　　　　1,500,000円

　　　⑤ 新聞謝罪広告費　　　　　　　　 350,000円

2．上記1の保険金を資金として、当期中の12月に次の代替資産を取得し、事業供用した。当社は、これらの資産について帳簿価額を直接減額する方法により圧縮記帳を実施するとともに、翌期に機械装置に係る保険金残額をもって代替資産たる機械装置を取得する予定であるため、特別勘定として 4,000,000円を費用に計上した。

種　類	構造又は用途	取得価額	当期償却額	圧縮額	耐用年数
建　　物	鉄筋コンクリート造	80,000,000円	630,000円	30,000,000円	47年
機械装置	塗 料 製 造 設 備	5,000,000	1,500,000	2,300,000	9年

種　類	償却方法	備　　　　　考
建　　物	定額法	令和7年12月19日に事業供用
機械装置	定率法	令和8年1月10日に事業供用

(1) 機械装置は租税特別措置法第42条の6に規定する特定機械装置等に該当するものである。

(2) 減価償却資産の定額法、定率法（平成24年4月1日以後取得分）の償却率、改定償却率及び保証率の表

耐用年数	定額法償却率	定　　率　　法		
		償却率	改定償却率	保証率
9年	0.112	0.222	0.250	0.07126
47年	0.022	0.043	0.044	0.01532

解　答

1. 圧縮記帳

(1) 滅失経費のあん分

① 建　物　　(2,000,000円＋1,500,000円)×

$$\frac{38,000,000円}{38,000,000円＋10,000,000円＋8,000,000円}＝2,375,000円$$

② 機械装置　(2,000,000円＋1,500,000円)×

$$\frac{10,000,000円}{38,000,000円＋10,000,000円＋8,000,000円}＝625,000円$$

(2) 差引保険金額

① 建　物　　38,000,000円－2,375,000円＝35,625,000円

② 機械装置　10,000,000円－625,000円＝9,375,000円

(3) 保険差益金額

① 建　物　　35,625,000円－(9,485,000円＋490,000円)＝25,650,000円

② 機械装置　9,375,000円－2,812,500円＝6,562,500円

(4) 圧縮限度額

① 建　物　　$25,650,000円×\dfrac{\overset{*}{35,625,000円}}{35,625,000円}＝25,650,000円$

　　　　　　＊　80,000,000円＞35,625,000円　　　∴　35,625,000円

② 機械装置　$6,562,500円×\dfrac{\overset{*}{5,000,000円}}{9,375,000円}＝3,500,000円$

　　　　　　＊　5,000,000円＜9,375,000円　　　∴　5,000,000円

(5) 圧縮超過額

① 建　物　　30,000,000円－(4)①＝4,350,000円

② 機械装置　2,300,000円－(4)②＝△1,200,000円（処理なし）

2．減価償却

(1) 建　物

① 償却限度額

$$(80,000,000円-25,650,000円)\times0.022\times\frac{4}{12}=398,566円$$

② 償却超過額

$$(630,000円+4,350,000円)-①=4,581,434円（加・留）$$

(2) 機械装置

① 償却限度額

イ．$(5,000,000円-2,300,000円)\times0.222=599,400円$

ロ．$(5,000,000円-2,300,000円)\times0.07126=192,402円$

ハ．イ≧ロ　　∴　599,400円

ニ．$599,400円\times\frac{3}{12}+(5,000,000円-2,300,000円)\times30\%=959,850円$

② 償却超過額

$$1,500,000円-959,850円=540,150円（加・留）$$

3．建物減価償却超過額認容

490,000円（減・留）

4．特別勘定繰入超過額

$$4,000,000円-6,562,500円\times\frac{9,375,000円-5,000,000円}{9,375,000円}=937,500円（加・留）$$

解答への道

1．被災者への弔慰金、類焼者賠償金、新聞謝罪広告費は、滅失経費とならない。（基通10-5-5）

2．機械装置に係る差引保険金のうち代替資産の取得に充てている部分については圧縮記帳を実施し、残額は特別勘定として経理する。（令85、89）

3．法人税法上の圧縮記帳は、租税特別措置法上の特別償却と併用することが認められる。なお、当社は資本金が1億円であり、特定中小企業者等には該当しないため、特定機械装置等の特別控除は適用できない。

　　次の資料により、当社の当期（令和７年４月１日～令和８年３月31日）における税務上調整すべき金額を計算しなさい。

１．前々期（令和５年４月１日～令和６年３月31日）の令和５年12月に当社の建物（被災直前の帳簿価額6,000,000円）が火災によって焼失した。被害に関して保険会社との間に意見が一致しなかったため、期末までに保険金が確定しなかった。そこで当社は滅失資産の簿価と滅失経費の額2,000,000円を次のように処理している。

　　（借）火災未決算　　　　8,000,000円　　　（貸）建　　　物　　　6,000,000円
　　　　　　　　　　　　　　　　　　　　　　　　　　現　　　金　　　2,000,000円

２．令和６年１月８日に代替資産である建物（耐用年数34年）11,200,000円を取得し、同月事業の用に供した。当社では償却方法として定額法を採用しており、保険金額確定時までに、378,000円（償却超過額はない）を償却した。

　　（定額法　34年……0.030）

３．令和７年４月に保険金18,000,000円が確定したのでこれを収益に計上し、圧縮額として8,000,000円を建物の帳簿価額から減額し、当期の減価償却費として302,400円、特別勘定として6,800,000円を損金経理により繰り入れた。

４．保険金の残額により10,000,000円相当の代替資産を取得する見込みである。

解　答

１．火災未決算認定損

　　8,000,000円（減・留）

２．圧縮記帳

　（1）差引保険金　　　　　18,000,000円－2,000,000円＝16,000,000円

　（2）保険差益金　　　　　16,000,000円－6,000,000円＝10,000,000円

　（3）圧縮限度額

　　①　通　常　　　　　　$10,000,000円 \times \dfrac{\overset{*}{11,200,000円}}{16,000,000円} = 7,000,000円$

　　　　　　　　　　　　＊　11,200,000円＜16,000,000円　　∴　11,200,000円

　　②　先　行　　　　　　$7,000,000円 \times \dfrac{11,200,000円－378,000円}{11,200,000円} = 6,763,750円$

　（4）圧縮超過額　　　　　8,000,000円－6,763,750円＝1,236,250円

3．減価償却

(1) 償却限度額　$(11,200,000円－6,763,750円×\dfrac{11,200,000円}{11,200,000円－378,000円})$

$\qquad\qquad\qquad ×0.030＝126,000円$

(2) 償却超過額　$(302,400円＋1,236,250円)－126,000円＝1,412,650円$（加・留）

4．特別勘定

(1) 繰入限度額　$10,000,000円×\dfrac{\overset{*}{4,800,000円}}{16,000,000円}＝3,000,000円$

$\qquad * \quad 10,000,000円＞16,000,000円－11,200,000円＝4,800,000円$

$\qquad\qquad ∴ \quad 4,800,000円$

(2) 繰入超過額　$6,800,000円－3,000,000円＝3,800,000円$（加・留）

解答への道

1．減失等による損失は保険金額が確定するまでの間は仮勘定（火災未決算）として経理し、確定時に損金算入する。なお、圧縮記帳の対象となる保険金等は被災から3年以内に支払確定したものに限られる。（基通10-5-2、令84）

2．減失等の損失を仮勘定として経理している間に取得した代替資産は圧縮記帳の対象となるが、過去における減価償却費を考慮して圧縮限度額を算出する。したがって、いったん原則的な圧縮限度額を算出した後、本来の取得価額と帳簿価額の比によりあん分する。（令85）

3．本間では差引保険金16,000,000円のうち11,200,000円を代替資産の取得に充てているだけであるため、残額4,800,000円に対する保険差益を特別勘定として経理することができる。

（法48、令89）

第19章

交　　換

1　個別論点のチェック

項　　　目	参照条文	問1	問2
1．原則的な圧縮記帳	法50、令92	○	○
2．2種類以上の資産を交換した場合	基通10－6－4	○	○
3．付替経理の特例	基通10－6－10	○	

2　他項目との関連

　減価償却資産の交換の場合には、圧縮記帳後の金額により減価償却が計算されるのは従来通りである。しかし、現に事業の用に供している資産の交換であるため、特別償却（初年度一時償却）との組合せは考えられない。

| 交換の圧縮記帳 |――| 減価償却 |………普通償却 |

　　次の資料により、当社の当期（令和7年4月1日～令和8年3月31日）における税務上調整
すべき金額を計算しなさい。

1．令和7年12月15日に当社所有の建物付土地とA社所有の建物付土地とを交換し、交換取得
　　資産は直ちに従来通りの用途に供した。なお、土地、建物ともに交換譲渡資産の帳簿価額を
　　そのまま付し、交換差金は収益に計上した。交換により取得した建物（耐用年数28年、定額
　　法、償却率0.036）について減価償却費　110,000円を計上した。

2．交換に関する内容及び内訳は次のとおりである。

区　分		取得年月日	帳簿価額	時　価	備　　　　　考
譲渡資産	土地	平成14年10月	7,200,000円	72,000,000円	建物には、繰越償却超過額が
	建物	平成14年12月	3,400,000	12,000,000	600,000円ある。
	合計	－	10,600,000円	84,000,000円	
取得資産	土地	平成9年10月	60,000,000円	67,200,000円	交換のために取得したもの
	建物	平成10年6月	16,000,000	14,800,000	ではない。
	現金	－	2,000,000	2,000,000	
	合計	－	78,000,000円	84,000,000円	

（注）交換に際して支出した譲渡経費　1,680,000円は、雑費として処理している。

解　答

1．土　地

（1）判　定　　　　72,000,000円－67,200,000円＝4,800,000円≦72,000,000円×20%

∴　適用あり

（2）経費のあん分　　$1,680,000円×\dfrac{72,000,000円}{72,000,000円＋12,000,000円}＝1,440,000円$

（3）圧縮限度額　　$67,200,000円－\{(7,200,000円＋1,440,000円)$

　　　　　　　　　　$×\dfrac{67,200,000円}{67,200,000円＋4,800,000円}\}＝59,136,000円$

（4）圧縮超過額　　（67,200,000円－7,200,000円）－59,136,000円＝864,000円（加・留）

2．建　物

（1）判　定　　　　14,800,000円－12,000,000円＝2,800,000円≦14,800,000円×20%

∴　適用あり

(2) 経費のあん分　1,680,000円－1,440,000円＝240,000円

(3) 圧縮限度額　14,800,000円－(3,400,000円＋600,000円＋240,000円＋2,800,000円)

　　　　　　　（上段：超過　差金）

　　　　　　　＝7,760,000円

(4) 圧縮超過額　(14,800,000円－3,400,000円)－7,760,000円＝3,640,000円

(5) 償却限度額　$(14,800,000円－7,760,000円)×0.036×\dfrac{4}{12}＝84,480円$

(6) 償却超過額　(110,000円＋3,640,000円)－84,480円＝3,665,520円　(加・留)

(7) 建物減価償却超過額認容　600,000円　(減・留)

解答への道

1．2種類以上の資産を交換した場合には、これらの資産が全体として等価でも、それぞれ種類を同じくする資産を別々に交換したと考え、それぞれの交換時における時価の差額を交換差金とする。この場合において、両者の時価の差がいずれか大きい時価の20％以内でなければ交換の圧縮記帳の適用がないのであるが、やはり種類の異なるごとに判定する。（基通10-6-4）

2．2以上の資産を交換した場合には、譲渡経費は譲渡資産の時価の比によりあん分する。

3．交換取得資産に交換譲渡資産の帳簿価額を付替えている場合には、取得資産の時価と会社が付した簿価との差額が会社計上の圧縮損となる。（基通10-6-10）

4．交換譲渡資産に生じている既往の償却超過額は、圧縮限度額の計算上会社簿価に加算するとともに、認容減算する。

5．交換取得資産は相手方で1年以上所有されていた資産であることが前提とされることから、問題で与えられた耐用年数が法定耐用年数でない限り、中古資産に係る見積耐用年数と考えてほしい。

次の資料により、当社の当期（令和7年4月1日～令和8年3月31日）における税務上調整すべき金額を計算しなさい。

1．令和8年1月に当社所有の土地付建物と甲氏所有の土地付建物を交換した。交換取得資産は直ちに従来通りの用途（事務所）に供している。

2．交換に関する明細は次のとおりである。

区　分		取得年月日	帳簿価額	時　価	備　　　考
譲渡資産	土地	平成20年5月	9,000,000円	36,000,000円	建物には、繰越償却超過額が300,000円ある。
	建物	平成20年11月	4,200,000	7,200,000	
	合計	－	13,200,000円	43,200,000円	
取得資産	土地	平成13年10月	7,650,000円	30,600,000円	交換のために取得したものではない。
	建物	平成13年11月	2,250,000	9,000,000	
	現金	－	3,600,000	3,600,000	
	合計	－	13,500,000円	43,200,000円	

（注）この交換に際して支出した譲渡経費864,000円は雑費として処理している。

3．交換取得資産である土地及び建物には交換取得資産の時価を帳簿価額として付し、譲渡益30,000,000円を計上した。また、土地については25,000,000円の圧縮損を、建物（耐用年数33年、償却率：定額法 0.031）については圧縮損4,800,000円と減価償却費150,000円を費用計上した。

解　答

1．建物減価償却超過額認容

　300,000円（減・留）

2．圧縮記帳

　(1) 判　定

　　① 土　地　36,000,000円－30,600,000円＝5,400,000円≦36,000,000円×20%

　　　　　　　　　　　　　　　　　　　　　　　　　　　∴　適用あり

　　② 建　物　9,000,000円－7,200,000円＝1,800,000円≦9,000,000円×20%

　　　　　　　　　　　　　　　　　　　　　　　　　　　∴　適用あり

(2) 譲渡経費のあん分

①　土　地　　$864,000円 \times \dfrac{36,000,000円}{43,200,000円} = 720,000円$

②　建　物　　$864,000円 - 720,000円 = 144,000円$

(3) 圧縮限度額

①　土　地　　$30,600,000円 - (9,000,000円 + 720,000円) \times \dfrac{30,600,000円}{30,600,000円 + 5,400,000円}$

$= 22,338,000円$

②　建　物　　$9,000,000円 - (4,200,000円 + 300,000円 + 144,000円 + 1,800,000円)$

$= 2,556,000円$

(4) 圧縮超過額

①　土　地　　$25,000,000円 - 22,338,000円 = 2,662,000円$　（加・留）

②　建　物　　$4,800,000円 - 2,556,000円 = 2,244,000円$

3．減価償却

(1) 償却限度額

$(9,000,000円 - 2,556,000円) \times 0.031 \times \dfrac{3}{12} = 49,941円$

(2) 償却超過額

$(150,000円 + 2,244,000円) - 49,941円 = 2,344,059円$　（加・留）

解答への道

1．譲渡経費については、譲渡資産の時価の比によりあん分する。

2．平成19年4月1日以後に取得した建物の償却方法は定額法によらなければならない。

（令48の2①一）

第20章
収用等の課税の特例

1 個別論点のチェック

項　　　目	参照条文	問1	問2	問3	問4
1．原則的な圧縮記帳	措法64、措令39	○			
2．特別勘定経理	措法64の2①		○		
3．特別勘定の取崩し	措法64の2⑨		○		
4．特別勘定設定後の圧縮記帳	措法64の2⑦		○		
5．差益割合の一括計算	措通64(3)－1	○			
6．代替資産が2以上ある場合	措通64(3)－4	○			
7．収用等の所得の特別控除	措法65の2①			○	○
8．特別勘定取崩時の特別控除	措法65の2⑦				○

2 他項目との関連

　収用等の課税の特例には、圧縮記帳と所得の特別控除の2通りがある。圧縮記帳は減価償却との関係が問題となるが、租税特別措置法上の圧縮記帳であるため、原則として租税特別措置法上の特別償却との重複適用は認められない。

　所得の特別控除は、課税外収入として税額計算に関連する以外は他項目との関係は考慮しなくてよいだろう。

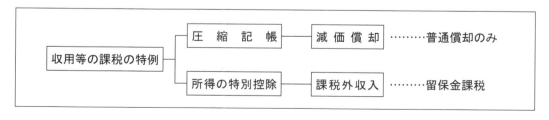

　　次の資料により、当社の当期（令和７年４月１日〜令和８年３月31日）における税務上調整すべき金額を計算しなさい。

１．当期中の４月19日に公共施設の用地として次の資産の買取の申出があったので、11月１日に譲渡した。なお、この買取の申出を拒むときは土地収用法等の規定に基づいて収用されることになる。

２．収用等された資産については、対価補償金及びその他の補償金（譲渡経費補てん補償金）を収益として計上するとともに、収用等された資産の帳簿価額及び譲渡経費を損失として計上した。

３．収用等された資産に係る差益割合は一括して計算すること。

区分	対価補償金	その他の補償金	譲渡直前簿価	譲渡経費	備　　考
	円	円	円	円	
土地	20,000,000	600,000	9,000,000	1,000,000	——
建物	10,000,000	400,000	4,200,000	600,000	繰越償却超過額 30,000円がある。
合計	30,000,000	1,000,000	13,200,000	1,600,000	——

４．当期中の11月５日に代替資産として次の事務所用の一組の資産を取得しており、直ちに事業の用に供している。これらの代替資産については、当期の確定した決算において、剰余金の処分により圧縮積立金を積み立てている。

　(1)　土地　25,000,000円（圧縮積立金　15,000,000円）

　(2)　建物　15,000,000円（圧縮積立金　5,000,000円）

５．当社は、代替資産たる建物（耐用年数38年、定額法償却率0.027）には当期分の減価償却費として243,000円を計上した。

解　答

1．圧縮記帳

　(1)　差引補償金等の額　　30,000,000円−(1,600,000円−1,000,000円)＝29,400,000円

　(2)　差益割合　　$\dfrac{29,400,000円−(13,200,000円＋30,000円)}{29,400,000円}＝0.55$

　(3)　圧縮基礎取得価額

　　①　土　地　　　25,000,000円＜29,400,000円　　　∴　25,000,000円

② 建　物　　　　15,000,000円＞29,400,000円－25,000,000円＝4,400,000円

∴　4,400,000円

(4) 圧縮限度額

① 土　地　　　　25,000,000円×0.55＝13,750,000円

② 建　物　　　　 4,400,000円×0.55＝ 2,420,000円

(5) 積立超過額

① 土　地　　　　15,000,000円－13,750,000円＝1,250,000円（加・留）

② 建　物　　　　 5,000,000円－ 2,420,000円＝2,580,000円（加・留）

2．減価償却

(1) 償却限度額　　　$(15,000,000円－2,420,000円)×0.027×\dfrac{5}{12}＝141,525円$

(2) 償却超過額　　　243,000円－141,525円＝101,475円（加・留）

3．土地圧縮積立金積立

15,000,000円（減・留）

4．建物圧縮積立金積立

5,000,000円（減・留）

5．建物減価償却超過額認容

30,000円（減・留）

解答への道

1．代替資産は、譲渡資産と同種の資産であることを原則とするが、譲渡資産と同一効用を有する
一組の資産及び事業用資産も対象となる。（措令39③④）

2．同時に2以上の資産が収用された場合には、差益割合は別々に算出することを原則とするが、
同一効用を有する一組の資産又は事業用資産を代替資産とするときは一括して計算する。

(措通64(3)-1)

3．2以上の代替資産を取得した場合には、その充当順序は法人の任意とされる。したがって、最
も課税が繰延べられるように、差引補償金の合計額をまず土地に充当し、残額を建物に充当する。
（措通64(3)-4）

1．次の資料により、当社の当期（令和7年4月1日～令和8年3月31日）における税務上調整すべき金額を計算しなさい。

　(1)　当社所有の土地(帳簿価額29,000,000円)が令和7年5月24日に土地収用法の規定により川崎市に収用等され、土地の補償金として150,000,000円を収受し収益に計上した。収用された土地の帳簿価額及びこの収用交渉のために支払った弁護士報酬5,000,000円は費用に計上している。

　(2)　上記(1)の補償金を資金として、令和7年10月14日に代替資産たる土地を80,000,000円で取得するとともに、その土地の上に工場を建設中であるが、期末現在未完成となっている。

　　　当社では、土地の取得価額のうち70,000,000円を圧縮損として直接減額するとともに、55,000,000円を圧縮特別勘定として費用に計上した。

2．翌期（令和8年4月1日～令和9年3月31日）の7月20日に代替資産たる工場（耐用年数31年）が完成し、直ちに事業の用に供した場合の税務上調整すべき金額を計算しなさい。

　(1)　工場の取得価額は50,000,000円であり、圧縮損として損金経理により42,000,000円を計上した。

　(2)　工場の償却方法は定額法（償却率 0.033)であり、138,600円の償却費を計上した。

　(3)　翌々期(令和9年4月1日～令和10年3月31日)に代替資産をさらに取得する予定である。

解　答

（当　期）

1．圧縮記帳

　(1)　差引補償金等の額　　150,000,000円－5,000,000円＝145,000,000円

　(2)　差益割合　　$\dfrac{145,000,000円－29,000,000円}{145,000,000円}＝0.8$

　(3)　土地の圧縮超過額　　70,000,000円－80,000,000円×0.8＝6,000,000円（加・留）

2．特別勘定繰入超過額

　　55,000,000円－(145,000,000円－80,000,000円)×0.8＝3,000,000円（加・留）

（翌　期）

1．特別勘定経理後の圧縮記帳

（1）圧縮超過額

① 50,000,000円＜145,000,000円－80,000,000円＝65,000,000円　　∴　50,000,000円

② 50,000,000円×0.8＝40,000,000円

③ 42,000,000円－40,000,000円＝2,000,000円

（2）減価償却超過額

$$(138,600円＋2,000,000円)－(50,000,000円－40,000,000円)×0.033×\frac{9}{12}$$

＝1,891,100円（加・留）

2．特別勘定取崩不足額

40,000,000円（加・留）

解答への道

1．特別勘定設定後、指定期間内に代替資産を取得した場合には、その代替資産につき圧縮記帳を
　行い、特別勘定のうち圧縮限度額に相当する金額を取崩さなければならない。

（措法64の2⑦⑨）

2．指定期間は令和9年5月24日までであるため、題意より特別勘定の残額12,000,000円は翌々期
　に繰越す。

収用等の所得の特別控除　　　　　　　　　　　　　　重 要 度　B

　　次の資料により、当社の当期（令和7年4月1日〜令和8年3月31日）における収用等の所得の特別控除額を計算しなさい。

1．当社所有の土地（帳簿価額13,000,000円）につき、公共事業施行者より買取りの申出を令和7年1月24日に受けた。その申出を拒むときは、土地収用法の規定に基づき収用されることになるので令和7年3月15日に32,000,000円で譲渡し収益に計上した。なお、譲渡経費として400,000円を支出し費用に計上している。当社は、前期においてこの収用につき租税特別措置法第65条の2《収用換地等の場合の課税の特例》第1項に規定する収用等の所得の特別控除を受けている。

2．当期中の令和7年5月25日に県に土地収用法の規定に基づき土地（帳簿価額12,000,000円）が収用され、対価補償金40,000,000円を取得し、当期の収益に計上した。なお、譲渡経費として800,000円を支出し、当期の費用に計上している。

3．上記1及び2は、いずれも買取りの申出のあった日から6カ月以内に譲渡されており、代替資産を取得するつもりはない。

解 答

(1) 譲渡益の額　　　　40,000,000円−（12,000,000円＋ 800,000円）＝27,200,000円

(2) 控除限度額

　① 　32,000,000円−（13,000,000円＋ 400,000円）＝18,600,000円

　② 　50,000,000円−18,600,000円＝31,400,000円

(3) 控除額　　　　　　(1)＜(2)　　　∴　27,200,000円（減・課）

解答への道

　収用等の所得の特別控除は、一暦年最高5,000万円までしか特別控除を受けることができないので、令和7年分（令和7年1月1日〜令和7年12月31日）の5,000万円のうち前期中の令和7年3月に行った譲渡について受けた特別控除額18,600,000円を除外して、当期分の特別控除額を計算する。

　　　　　　　　　　　　　　　　　　　　　　　　　　　　（措法65の2①、措通65の2-3）

問　題　4　特別勘定取崩時の所得の特別控除　　重要度 B

次の資料により、当社の当期（令和7年4月1日～令和8年3月31日）において税務上調整すべき金額を計算しなさい。

1．令和5年4月12日に、当社の有する土地の一部が市立図書館の用地として買い取られ、対価補償金を取得した。令和6年3月期において代替資産の取得ができなかったので、圧縮限度額相当の24,000,000円を特別勘定に経理している。当期末までに代替資産の取得ができなかったので、その特別勘定を取り崩して収益に計上した。また令和5年中における土地等の資産の譲渡は、上記の譲渡だけである。

2．令和7年12月25日に当社の有する土地の一部(帳簿価額10,000,000円、既往の評価益否認額が70,000円ある。）が、市道用地として市に買取られ、対価補償金45,000,000円と譲渡経費に充てるための補償金800,000円を収入したので収益に計上した。譲渡した土地の帳簿価額及びこの譲渡に際して支出した経費の額1,250,000円は，費用計上している。

3．上記収用等は、土地の買取りの申出があった後6カ月以内に行われている。また、当社は代替資産の取得を行わないことに決定した。

解　答

1．収用等の所得の特別控除

(1) 令和5年分

① 特別勘定取崩額　　24,000,000円

② 控除限度額　　50,000,000円

③ 控除額　　①＜②　　∴　24,000,000円

(2) 令和7年分

① 譲渡益の額　　45,000,000円－｛(10,000,000円－70,000円)＋(1,250,000円－800,000円)｝＝34,620,000円

② 控除限度額　　50,000,000円

③ 控除額　　①＜②　　∴　34,620,000円

(3) (1)＋(2)＝58,620,000円（減・課）

2．土地評価益否認額認容

70,000円（加・留）

特別勘定として経理していた金額を取崩した場合に、代替資産を取得しなかったときは、他の特別勘定につき圧縮記帳を行わないことを条件に所得の特別控除を取崩事業年度に受けられる。

（措法65の2⑦）

第21章

換地処分等の課税の特例

1 個別論点のチェック

項　　目	参照条文	問1	問2
1．土地収用法等	措法64、措法65	○	
2．土地区画整理法	措法65、措法65の2		○

2 他項目との関連

　換地処分等の課税の特例は圧縮記帳と特別控除の2つの特例があり、土地収用法か土地区画整理法かによって適用関係が変わることになる。

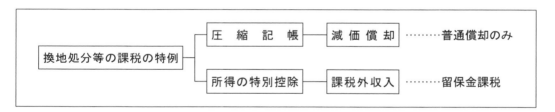

　　次の資料により、当社の当期（令和7年4月1日〜令和8年3月31日）における税務上調整すべき金額を計算しなさい。

1．当社所有の土地（帳簿価額24,000,000円）が土地収用法に基づき令和7年8月18日に換地処分を受け、代替地である土地A（時価40,000,000円）と清算金10,000,000円を受け帳簿価額との差額を収益に計上している。

2．この換地処分に際して譲渡経費に充てるための補償金1,000,000円を受けたが、実際に要した譲渡経費は3,000,000円であった。

3．当社は清算金によって令和8年3月5日に7,500,000円で土地Bを取得した。この土地の上に翌期に工場用建物を15,000,000円で取得する予定である。

4．当社は、損金経理により土地Aに係る圧縮額として26,000,000円、土地Bに係る圧縮額として5,000,000円及び特別勘定として2,500,000円をそれぞれ計上した。

5．この収用に係る最初の買取りの申出があったのは令和7年1月15日である。

解　答

1．圧縮記帳

（1）譲渡経費のあん分

① 代替地　　$(3,000,000円 - 1,000,000円) \times \dfrac{40,000,000円}{50,000,000円} = 1,600,000円$

② 清算金　　$(3,000,000円 - 1,000,000円) - 1,600,000円 = 400,000円$

（2）帳簿価額のあん分

① 代替地　　$24,000,000円 \times \dfrac{40,000,000円}{50,000,000円} = 19,200,000円$

② 清算金　　$24,000,000円 - 19,200,000円 = 4,800,000円$

（3）圧縮限度額

① 代替地（土地A）　　　　$40,000,000円 - (19,200,000円 + 1,600,000円) = 19,200,000円$

② 清算金（土地B）

　イ．差引補償金等　　　　$10,000,000円 - 400,000円 = 9,600,000円$

　ロ．差益割合　　　　　　$\dfrac{9,600,000円 - 4,800,000円}{9,600,000円} = 0.5$

　ハ．圧縮基礎取得価額　　$9,600,000円 > 7,500,000円$　　　∴　$7,500,000円$

　ニ．圧縮限度額　　　　　$7,500,000円 \times 0.5 = 3,750,000円$

(4) 圧縮超過額

    ① 代替地（土地A）　　26,000,000円－19,200,000円＝6,800,000円（加・留）

    ② 清算金（土地B）　　　5,000,000円－　3,750,000円＝1,250,000円（加・留）

2．特別勘定

(1) 繰入限度額　　　　　9,600,000円－7,500,000円＝2,100,000円＜15,000,000円

                   ∴　2,100,000円×0.5＝1,050,000円

(2) 繰入超過額　　　　　2,500,000円－1,050,000円＝1,450,000円（加・留）

解答への道

1．土地収用法等の規定に基づいて換地処分を受け、代替地と清算金を取得した場合には、代替地については交換と同じ考え方の圧縮記帳が適用され、清算金については収用等の圧縮記帳と同様に代替資産の取得により圧縮記帳が適用される。（措法64、65）

2．代替地と清算金とでは圧縮限度額の計算方法が異なるので、計算の基礎となる譲渡原価及び譲渡経費は、代替地に係る部分と清算金に係る部分にあん分する。このあん分の基礎は代替地の時価と清算金の額の比により行う。

問 題 2　土地区画整理法　　　　重要度 C

次の資料により、当社の当期（令和7年4月1日～令和8年3月31日）における税務上調整すべき金額を計算しなさい。

1．当期の4月10日に当社の所有する土地（平成9年4月取得）が土地区画整理法による土地区画整理事業に伴い、換地処分され、次の代替地と補償金を取得した。

    ① 代替地の取得時の価額　　　50,000,000円

    ② 補償金の額　　　　　　　　25,000,000円

  当社は補償金の額を収益に計上し、代替地には、譲渡した土地の譲渡直前の帳簿価額5,145,000円を付している。

2．この換地処分に際して譲渡経費に充てるための補償金2,250,000円を受けたが、実際に要した譲渡経費は3,750,000円であったため、差額1,500,000円を費用に計上した。

3．この換地処分は申出を受けた日から6月以内に行われたものであり、補償金による代替資産の取得見込みはない。

4．取得した代替地には倉庫を建設し、当期の8月21日から事業の用に供している。なお、その倉庫（床面積1,500㎡、耐用年数16年、定額法償却率0.063）の取得価額は35,000,000円であり、4,690,000円を減価償却費として計上している。

解 答

1．圧縮記帳

(1) 圧縮限度額

$$50,000,000円\overset{\text{代替地時価}}{-}(5,145,000円\overset{\text{簿価}}{+}1,500,000円)\overset{\text{経費}}{\times}\frac{\overset{\text{（代替地時価）}}{50,000,000円}}{\underset{\text{（代替地時価）\quad（補償金）}}{50,000,000円+25,000,000円}}$$

$$=45,570,000円$$

(2) 圧縮超過額

$(50,000,000円-5,145,000円)-45,570,000円=△715,000円$（処理なし）

2．特別控除

(1) 譲渡益

$$25,000,000円\overset{\text{補償金}}{-}(5,145,000円\overset{\text{簿価}}{+}1,500,000円)\overset{\text{経費}}{\times}\frac{\overset{\text{（補償金）}}{25,000,000円}}{\underset{\text{（代替地時価）\quad（補償金）}}{50,000,000円+25,000,000円}}$$

$$=22,785,000円$$

(2) 限度額　　　50,000,000円

(3) (1)＜(2)　　∴　22,785,000円（減・課）

3．減価償却

$$4,690,000円-35,000,000円\times0.063\times\frac{8}{12}=3,220,000円（加・留）$$

解答への道

　土地区画整理法の土地区画整理事業により、換地処分が行われた場合には、代替地に圧縮記帳の適用のみが認められており、また清算金部分には、圧縮記帳又は特別控除（代替地との統一適用は要求されていない）の選択が認められている。（措法65、65の2）

第22章

特定資産の買換

1 個別論点のチェック

項　　　目	参照条文	問1	問2	問3	問4
1．原則的な圧縮記帳	措法65の7①	○			
2．土地等の面積制限	措法65の7②、措令39の7⑧	○	○	○	
3．特別勘定経理	措法65の8①		○		
4．特別勘定の取崩し	措法65の8⑨		○		
5．特別勘定設定後の圧縮記帳	措法65の8⑦		○		
6．差益割合の一括計算	措通65の7(3)-1		○		
7．買換資産が2以上ある場合	措通65の7(3)-3		○	○	○
8．譲渡経費の範囲	措通65の7(3)-5～6	○	○	○	○
9．先行取得資産	措法65の7③			○	

2 他項目との関連

　　特定資産の買換の圧縮記帳は租税特別措置法上の規定であるため、原則として租税特別措置法上の特別償却との重複適用は認められていない。このほか、借地権や原価算入交際費と組合せられる場合もあるので注意してほしい。

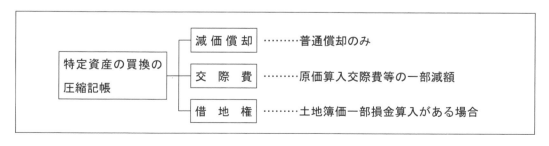

　次の資料により、当社の当期（令和7年4月1日～令和8年3月31日）における税務上調整すべき金額を計算しなさい。

1．当社は、当期中に国内にある下記の倉庫用建物の敷地を譲渡しており、譲渡対価と譲渡資産の帳簿価額との差額を譲渡益に計上している。

譲渡年月日	譲渡資産	譲渡対価	帳簿価額	備　　　　　考
令7.10.16	A土地（面積 750㎡）	129,600,000円	18,000,000円	譲渡土地は平成13年6月に取得した土地である。

　（注）譲渡に際して支出した不動産業者仲介手数料1,440,000円は費用に計上している。

2．当社は、上記の譲渡対価をもって当期中の2月9日に国内にある特定施設の敷地の用に供される土地を180,000,000円で取得し直ちに事業の用に供している。

　　なお、取得した土地の面積は6,000㎡である。

3．当社は上記2の土地につき当期の確定した決算において、剰余金の処分により土地圧縮積立金を100,000,000円計上した。

解　答

1．圧縮記帳

　(1) 差益割合　$\dfrac{129,600,000円－（18,000,000円＋1,440,000円）}{129,600,000円}＝0.85$

　(2) 圧縮基礎取得価額

　　① 面積制限　$180,000,000円×\dfrac{750㎡×5}{6,000㎡}＝112,500,000円$

　　② 129,600,000円＞112,500,000円　　　∴　112,500,000円

　(3) 圧縮限度額　　112,500,000円×0.85×80％＝76,500,000円

　(4) 積立超過額　　100,000,000円－76,500,000円＝23,500,000円（加・留）

2．土地圧縮積立金積立

　100,000,000円（減・留）

解答への道

　買換資産たる土地の面積が譲渡資産たる土地の面積の5倍を超えるときは、その超える部分については圧縮記帳の適用がない。（措法65の7②、措令39の7⑧）

次の資料により、当社の当期（令和7年4月1日～令和8年3月31日）及び翌期（令和8年4月1日～令和9年3月31日）における税務上調整すべき金額を計算しなさい。なお、当社の資本金額は5億円である。

1．当　期

(1) 令和7年8月25日に国内にある当社の倉庫用建物の敷地の用に供していた土地（面積1,000㎡、平成12年7月19日に取得）をTAC商事に売却し、土地の売却代金90,000,000円を収益に計上した。また、譲渡直前の土地の帳簿価額28,000,000円及び譲渡時に取り壊した建物の帳簿価額14,500,000円（このほか繰越償却超過額が200,000円ある。）並びにこの譲渡の仲介者に支払った謝礼その他の経費500,000円を費用に計上した。

(2) 令和7年9月10日に、上記の売却代金により国内にある土地（面積8,000㎡）を40,000,000円で取得し、さらにその土地の上に倉庫用建物（耐用年数30年、面積300㎡）を42,000,000円で建設し、令和8年2月18日より事業の用に供している。

(3) 翌期に構築物を取得する見込みであり、その見込額は25,000,000円である。

(4) 当社は取得した土地及び建物について、圧縮額として損金経理により帳簿価額をそれぞれ12,000,000円及び17,500,000円減額するとともに、建物の減価償却費300,000円を計上した。また、損金経理により圧縮特別勘定10,000,000円を計上した。

2．翌　期

翌期に買換資産たる構築物（取得価額20,000,000円、耐用年数10年）を令和8年9月10日に取得し、直ちに事業の用に供した。当社はこの構築物につき、圧縮額として損金経理により帳簿価額を10,000,000円減額した。また減価償却費として建物については1,800,000円、構築物については2,000,000円計上したほかは何ら処理していない。

3．当社は、減価償却方法として定額法を選定し届け出ている。

　　耐用年数30年　　（定額法）0.034

　　耐用年数10年　　（定額法）0.100

解 答

1．当 期

(1) 建物減価償却超過額認容　　200,000円（減・留）

(2) 圧縮記帳

① 差益割合　$\dfrac{90,000,000円－（28,000,000円＋14,500,000円＋200,000円＋500,000円）}{90,000,000円}$

　　　　　　　$＝0.52$

② 圧縮基礎取得価額

　　イ．面積制限　　$40,000,000円×\dfrac{1,000㎡×5}{8,000㎡}＝25,000,000円$

　　ロ．土　地　　$25,000,000円＜90,000,000円$　　　∴　$25,000,000円$

　　ハ．建　物　　$90,000,000円－25,000,000円＝65,000,000円＞42,000,000円$

　　　　　　　　　　　　　　　　　　∴　$42,000,000円$

③ 圧縮限度額

　　イ．土　地　　$25,000,000円×0.52×80\%＝10,400,000円$

　　ロ．建　物　　$42,000,000円×0.52×80\%＝17,472,000円$

④ 圧縮超過額

　　イ．土　地　　$12,000,000円－10,400,000円＝1,600,000円$（加・留）

　　ロ．建　物　　$17,500,000円－17,472,000円＝28,000円$

(3) 建物の減価償却

① 償却限度額　　$(42,000,000円－17,472,000円)×0.034×\dfrac{2}{12}＝138,992円$

② 償却超過額　　$(300,000円＋28,000円)－①＝189,008円$（加・留）

(4) 特別勘定

① 繰入限度額
　　＊
　　$23,000,000円×0.52×80\%＝9,568,000円$

　　＊　$90,000,000円－25,000,000円－42,000,000円＝23,000,000円＜25,000,000円$

　　　　　　　　　　　　　　　　　　　∴　$23,000,000円$

② 繰入超過額　　$10,000,000円－①＝432,000円$（加・留）

2．翌 期

(1) 圧縮記帳（構築物）

① 圧縮基礎取得価額

　　$20,000,000円＜23,000,000円$　　　∴　$20,000,000円$

② 圧縮限度額　　$20,000,000円×0.52×80\%＝8,320,000円$

③ 圧縮超過額　　$10,000,000円－②＝1,680,000円$

(2) 構築物の減価償却

① 償却限度額　$(20,000,000円-8,320,000円)\times0.100\times\dfrac{7}{12}=681,333円$

② 償却超過額　$(2,000,000円+1,680,000円)-①=2,998,667円$　（加・留）

(3) 建物の減価償却

① 償却限度額　$(42,000,000円-17,472,000円)\times0.034=833,952円$

② 償却超過額　$1,800,000円-①=966,048円$　（加・留）

(4) 特別勘定取崩不足額　　$9,568,000円$　（加・留）

解答への道

1．差益割合の計算の基礎となる譲渡資産の譲渡直前簿価は税法上の金額であるため、会社計上簿価に既往の否認額を加えて差益割合を計算し、既往の否認額は認容・減算（留保）する。

2．取得指定期間の間に買換資産を取得する見込みであるときは、買換資産の取得に充てようとする譲渡代金は特別勘定として経理することができる。（措法65の8①）

3．特別勘定設定後、取得指定期間内に買換資産を取得した場合には、その買換資産につき圧縮記帳を行い、特別勘定のうち圧縮限度額相当の金額を取り崩さなければならない。（措法65の8⑦⑨）　ただし、本問では、令和9年3月31日をもって取得指定期間が終了するため、買換資産の取得に充てられなかった特別勘定もあわせて取り崩さなければならない。（措法65の8⑫）

　　次の資料により、当社の当期（令和7年4月1日～令和8年3月31日）における税務上調整すべき金額を計算しなさい。

1．令和7年7月3日に国内にある倉庫用建物の敷地（600㎡で平成12年2月取得）を600,000,000円で譲渡し、譲渡対価と譲渡直前の帳簿価額16,000,000円との差額を固定資産売却益として計上している。この土地の譲渡にあたり、その土地の上にあった旧倉庫建物（帳簿価額8,000,000円）は取壊費1,200,000円をかけて取壊した。この取壊費と建物の取壊直前の帳簿価額の合計額は当期の費用に計上している。

2．前期（令和6年4月1日～令和7年3月31日）において国内にある次の倉庫用建物及びその敷地である土地を取得し事業の用に供して、減価償却を実施している。

種　　類	取得価額	前期末帳簿価額	圧縮額	当期償却額	備　　考
	円	円	円	円	
土　　地	400,000,000	400,000,000	250,000,000	——	面積 4,000㎡
建　　物	300,000,000	294,600,000	285,000,000	300,000	耐用年数34年

（注1）前期に取得した買換資産には租税特別措置法に掲げる特別償却は適用していない。

（注2）当期に計上した圧縮額は、租税特別措置法第65条の7《特定の資産の買換の場合の課税の特例》を適用したものであり、損金経理により行っている。

3．耐用年数34年の定額法償却率は0.030である。

解　答

1．圧縮記帳

(1) 差益割合　$\dfrac{600,000,000円-(16,000,000円+8,000,000円+1,200,000円)}{600,000,000円}=0.958$

(2) 圧縮基礎取得価額

①　土　地　$400,000,000円×\dfrac{600㎡×5}{4,000㎡}=300,000,000円<600,000,000円$

∴　300,000,000円

②　建　物　$300,000,000円\leqq600,000,000円-300,000,000円=300,000,000円$

∴　300,000,000円

(3) 圧縮限度額

①　土　地　$300,000,000円×0.958×80\%×\dfrac{400,000,000円}{400,000,000円}=229,920,000円$

②　建　物　$300,000,000円×0.958×80\%×\dfrac{294,600,000円}{300,000,000円}=225,781,440円$

(4) 圧縮超過額

①　土　地　$250,000,000円-229,920,000円=20,080,000円$…土地計上もれ（加・留）

②　建　物　$285,000,000円-225,781,440円=59,218,560円$

2．減価償却（建物）

(1) 償却限度額

$(300,000,000円-\overset{*}{229,920,000円})×0.030=2,102,400円$

＊　$225,781,440円×\dfrac{300,000,000円}{294,600,000円}=229,920,000円$

(2) 償却超過額

$(300,000円+59,218,560円)-2,102,400円=57,416,160円$（加・留）

解答への道

1．譲渡に際して取り壊し又は除去した建物等に係る損失は、譲渡経費に含まれる。

（措通65の7(3)-5、6）

2．譲渡事業年度開始の日前1年以内に取得し、取得日から1年以内に事業供用したときは、先行取得資産として圧縮記帳が認められる。（措法65の7③）

3．買換資産である土地は、譲渡資産である土地の5倍の面積が圧縮記帳の対象となり、これを超える部分は買換資産とはならない。（措法65の7②）

4．先行取得資産の償却方法が定額法である場合には、圧縮記帳後の取得価額は次による。

本来の取得価額－圧縮による損金算入額×$\dfrac{前期末取得価額}{前期末帳簿価額}$

第22章　特定資産の買換

　次の資料により、当社の当期（令和７年４月１日〜令和８年３月31日）における税務上調整すべき金額を計算しなさい。なお、当社は税効果会計を適用しているが、法人税等調整額の調整は考慮不要である。

１．当社は当期の９月10日に国内にある土地（平成13年４月５日取得、帳簿価額65,000,000円）を時価相当額の160,000,000円で譲渡し収益に計上している。

２．この譲渡契約はこの土地の上に存する工場用建物を取り壊した上で引き渡すという契約になっており、当社は契約どおり取り壊した上で引き渡している。なお、次のものを損金経理している。

　　①　工場用建物の取壊し直前の帳簿価額　　　　6,000,000円

　　②　取壊しに要した費用　　　　　　　　　　　620,000円

　　③　仲介手数料　　　　　　　　　　　　　　1,500,000円

３．当期の10月４日に国内にある次の土地及びその上に存する工場用建物を取得し同日より事業の用に供している。

　　①　土　　　地　　　120,000,000円（面積1,000㎡）

　　②　建　　　物　　　50,000,000円（耐用年数38年、定額法償却率 0.027）

４．上記買換資産につき租税特別措置法第65条の７（特定の資産の買換えの場合の課税の特例）の規定を適用し、当期の確定した決算において、剰余金の処分により土地圧縮積立金42,250,000円及び建物圧縮積立金14,300,000円を積立てるとともに、繰延税金負債として、それぞれ22,750,000円及び7,700,000円を計上した。

　　また、建物については損金経理により減価償却費500,000円を計上している。

解答

1. 圧縮記帳

(1) 差益割合

$$\frac{160,000,000円-(65,000,000円+6,000,000円+620,000円+1,500,000円)}{160,000,000円}=0.543$$

(2) 圧縮基礎取得価額

① 土　地　　　120,000,000円＜160,000,000円　　　∴　120,000,000円

② 建　物　　　50,000,000円＞160,000,000円－120,000,000円＝40,000,000円

∴　40,000,000円

(3) 圧縮限度額

① 土　地　　　120,000,000円×0.543×0.8＝52,128,000円

② 建　物　　　40,000,000円×0.543×0.8＝17,376,000円

(4) 積立超過額

① 土　地　　　(42,250,000円＋22,750,000円)－52,128,000円＝12,872,000円（加・留）

② 建　物　　　(14,300,000円＋7,700,000円)－17,376,000円＝4,624,000円（加・留）

2. 減価償却

(1) 償却限度額　　(50,000,000円－17,376,000円) $\times 0.027 \times \frac{6}{12} = 440,424$円

(2) 償却超過額　　500,000円－440,424円＝59,576円（加・留）

3. 土地圧縮積立金積立

42,250,000円＋22,750,000円＝65,000,000円（減・留）

4. 建物圧縮積立金積立

14,300,000円＋7,700,000円＝22,000,000円（減・留）

解答への道

　税効果会計を適用しているため繰延税金負債控除後の金額を圧縮積立金として積み立てているが、法人税法上圧縮積立金と考えていく金額は、繰延税金負債控除前の本来計上する圧縮積立金の額（積立額と繰延税金負債の合計額）となる。

第23章
貸 倒 引 当 金

1 個別論点のチェック

	項　目	参照条文	問1	問2	問3
個別評価	1．長期棚上げ基準	令96①一			○
	2．実　質　基　準	令96①二、基通11-2-6		○	
	3．形　式　基　準	令96①三		○	○
	4．実質的に債権とみられないもの	基通11-2-9		○	○
	5．手形交換所の取引停止処分	基通11-2-11			○
一括評価	6．売掛債権等の範囲	基通11-2-16～20	○	○	○
	7．実質的に債権とみられないもの　原　則　法	措令33の7②　措通57の9-1	○		
	簡　便　法	措令33の7③	○		
	8．法定繰入率	措法57の9①、措令33の7④、措通57の9-4	○		
	9．貸　倒　実　績　率	令96⑥	○	○	○
	10．洗　替　方　式	法52⑩	○	○	○

2 他項目との関連

　貸倒引当金は、受験生必須の学習項目であり、設定対象債権の性質上、①貸倒損失、②外貨建債権債務、③帰属時期の特例などと絡めて出題されることが多い。幅広い総合的知識がないと正解することができないので、関連項目を含めて充分に学習してほしい。

問 題 1 　一括評価　　　　　　　　　　　重要度 | A

次の資料により、当社の当期（令和7年4月1日～令和8年3月31日）における税務上調整すべき金額を計算しなさい。なお、当社は期末資本金1億円（株主はすべて個人である。）の製造業を営む内国法人である。

1. 期末の貸借対照表に計上されている債権の内訳は、次のとおりである。

　(1) 売 掛 金　　71,850,000円

　　① A社に対する売掛金が4,500,000円あるが、同社には借入金が3,000,000円ある。

　　② B商店に対する売掛金が4,000,000円あるが、同商店から買掛金6,000,000円を受入れている。

　(2) 受取手形　　62,000,000円

　　① C商事から売掛金について取得した先日付小切手6,500,000円が含まれており、同商事には買掛金5,000,000円と支払手形2,000,000円がある。

　　② 上記のほか割引手形が18,400,000円あり、このうち既存債権と関係がない割引分は2,000,000円である。

　(3) 貸 付 金　　49,000,000円

　　① B商店に対する貸付金が3,000,000円ある。

　　② D社に対する貸付金8,000,000円には、同社の所有する土地に同額の抵当権を設定している。

　(4) 仮 払 金　　2,900,000円

　　建物の賃借により支出した保証金2,000,000円及び概算払いした旅費900,000円である。

　(5) 未収入金　　3,000,000円

　　公社債の未収利子250,000円及びD社に対する貸付金の未収利子640,000円並びに契約不履行による損害賠償金で収益に計上したもの2,110,000円である。

2. 基準年度における実質的に債権とみられないものの額は、次のとおりである。

事業年度	一括評価金銭債権の額	原則法による実質的に債権とみられないものの額
平27.4.1～平28.3.31	145,200,000円	9,920,000円
平28.4.1～平29.3.31	138,500,000円	10,400,000円

3. 最近における一括評価金銭債権の額及び貸倒損失の額は、次のとおりである。

事 業 年 度	一括評価金銭債権の額	貸倒損失の額
令 4.4.1～令 5.3.31	135,200,000円	1,160,000円
令 5.4.1～令 6.3.31	142,300,000	2,030,000
令 6.4.1～令 7.3.31	165,500,000	920,000

4．前期に損金経理により一括貸倒引当金勘定に繰り入れた金額2,100,000円（うち繰入超過額180,000円）は全額が収益に戻し入れられており、当期に同引当金勘定に損金経理により繰り入れた金額は2,000,000円である。

解　答

1．一括貸倒引当金繰入超過額認容

180,000円　（減・留）

2．一括貸倒引当金繰入超過額

(1) 貸倒実績率による限度額

① 一括評価金銭債権

71,850,000円＋62,000,000円＋（18,400,000円－2,000,000円）＋49,000,000円

＋640,000円＋2,110,000円＝202,000,000円

② 貸倒実績率

$$\frac{(1,160,000円＋2,030,000円＋920,000円)\times\frac{12}{36}}{(135,200,000円＋142,300,000円＋165,500,000円)\div 3}＝0.00927 \rightarrow 0.0093$$

③ 繰入限度額

①×②＝1,878,600円

(2) 法定繰入率による限度額

① 一括評価金銭債権

202,000,000円

② 実質的に債権とみられないものの額

イ．原則法

A　4,500,000円＞3,000,000円　　∴　3,000,000円

B　4,000,000円＋3,000,000円＝7,000,000円＞6,000,000円　　∴　6,000,000円

C　6,500,000円＜5,000,000円＋2,000,000円＝7,000,000円　　∴　6,500,000円

合計　15,500,000円

ロ．簡便法

$$202,000,000円\times\frac{9,920,000円＋10,400,000円}{145,200,000円＋138,500,000円}（0.0716 \rightarrow 0.071）＝14,342,000円$$

ハ．イ＞ロ　　∴　14,342,000円

③ 繰入限度額

$$（①－②）\times\frac{8}{1,000}＝1,501,264円$$

(3) 一括貸倒引当金繰入限度額

(1) ＞ (2)　　　∴　1,878,600円

(4) 一括貸倒引当金繰入超過額

2,000,000円－1,878,600円＝121,400円（加・留）

1．売掛債権等の範囲

(1) 売掛金等について取得した先日付小切手は、売掛債権等に含めることができる。

（基通11-2-16（注））

(2) 割引手形は原則として売掛債権等に該当するが、既存債権と関係のない受取手形の割引分は売掛債権等に含まれない。（基通11-2-17）

(3) 保証金、概算払旅費、公社債の未収利子は売掛債権等に該当しない。（基通11-2-18）

(4) 貸付金の未収利子、未収の損害賠償金で益金の額に算入されたものは、売掛債権等に含まれる。（基通11-2-16）

2．一括貸倒引当金による繰入限度額の計算では、個別貸倒引当金と異なり、担保等は考慮しない。

3．原則法による実質的に債権とみられないものの額は、取引先ごとに債権総額と債務総額を比較していずれか少ない方の額となる。なお、個別貸倒引当金と異なり、支払手形も債務総額に含める。（措通57の9-1）

4．簡便法による実質的に債権とみられないものの額の基準年度は、平成27年4月1日から平成29年3月31日までに開始した各事業年度である。

5．貸倒実績率による繰入限度額と法定繰入率による繰入限度額とでは設定対象債権が異なるので繰入率の大小ではなく、繰入限度額の大小で有利判定を行う。

6．前期の繰入超過額は、二重課税を排除するため認容・減算（留保）する。

問 題 2　個別評価・一括評価①　　　重要度　B

次の資料により、当社の当期（令和7年4月1日～令和8年3月31日）における税務上調整すべき金額を計算しなさい。なお、当社は電気製品の卸売業を営む期末資本金1億円の内国法人（株主は全て個人）である。

1．期末の貸借対照表に計上されている債権等の内訳及びその留意点は、次のとおりである。

区　分	金　額	留　意　点
売　掛　金	97,000,000円	① A商店に対する売掛金が5,000,000円あるが、同商店には買掛金が6,000,000円ある。 ② B商事に対する売掛金が4,000,000円あるが、同商事は当期中に民事再生法の規定による再生手続開始の申立てを行っており、この売掛金については、個別貸倒引当金2,000,000円を繰り入れている。なお、B商事との取引開始に当たり同商事より営業保証金500,000円を受け入れている。この他に同商事に対する支払手形1,000,000円がある。
受　取　手　形	69,000,000円	① 土地の売却代金としてC社から取得した受取手形が15,000,000円ある。 ② D商会からの受取手形2,000,000円があるが、同商会に対して同額の支払手形を振出している。
貸　付　金	45,000,000円	① E商店に対する貸付金が10,000,000円含まれている。同商店は債務超過の状態が相当期間継続しその営む事業に好転の見通しがなく、7,000,000円の取立て等の見込みがないと認められる。なお、この貸付金については、個別貸倒引当金7,500,000円を繰り入れている。 ② 当社使用人Fに対する貸付金が5,000,000円あるが、同人からの預り金が1,700,000円ある。
そ　の　他	7,000,000円	① 仕入先G社からの仕入割戻しの未収金（当期末までに通知を受けたもの）が、1,800,000円ある。 ② 得意先H商店に対して商品を発送する際に要した運賃の立替金が200,000円ある。 ③ 土地購入のための手付金が5,000,000円ある。

２．貸借対照表に脚注表示されているものは次のとおりである。

区　　　　　分	金　　　　額	内　　　　　　　　容
手　形　割　引　高	38,400,000円	このうち6,500,000円は割引取得した手形を再割引したものであるが、残額は売掛金の回収として受け取った手形を割り引いたものである。

３．当期末に損金経理により個別貸倒引当金9,500,000円及び一括貸倒引当金2,500,000円を損金経理により繰り入れている。なお、前期に繰り入れた一括貸倒引当金2,000,000円（繰入超過額380,000円）は、全額を取り崩して収益に計上している。

４．最近の各事業年度における一括評価金銭債権の額及び貸倒損失の額は、次のとおりであり、一括貸倒引当金繰入限度額は貸倒実績率により計算するものとする。

事業年度	一括評価金銭債権の額	貸倒損失の額
令 4.4.1〜令 5.3.31	187,500,000円	1,975,000円
令 5.4.1〜令 6.3.31	193,060,000	1,920,000
令 6.4.1〜令 7.3.31	210,400,000	1,630,000

解　答

１．個別貸倒引当金繰入超過額

B　2,000,000円－(4,000,000円－500,000円)×50%　＝250,000円（加・留）

E　7,500,000円－7,000,000円＝500,000円（加・留）

２．一括貸倒引当金繰入超過額認容

380,000円（減・留）

３．一括貸倒引当金繰入超過額

(1) 貸倒実績率による限度額

① 一括評価金銭債権

97,000,000円－4,000,000円＋69,000,000円＋(45,000,000円－10,000,000円)

＋200,000円＋(38,400,000円－6,500,000円)＝229,100,000円

② 貸倒実績率

$$\frac{(1,975,000円＋1,920,000円＋1,630,000円)×\frac{12}{36}}{(187,500,000円＋193,060,000円＋210,400,000円)÷3}＝0.00934 → 0.0094$$

③ ①×②＝2,153,540円

(2) 一括貸倒引当金繰入超過額

2,500,000円－2,153,540円＝346,460円（加・留）

1. 再生手続開始の申立ては、個別貸倒引当金の設定事由に該当する。この場合の繰入限度額は、設定対象金銭債権から実質的に債権とみられないものの額、担保、金融機関等による保証、第三者振出手形を控除した金額の50%相当額である。なお、実質的に債権とみられないものの額は、支払手形を含めないところにより計算する。（令96①三、基通11-2-10）

2. 債務者の資産状態、支払能力等から取立て等の見込みがないと認められる金額は個別貸倒引当金の繰入限度額とすることができる。（令96①二、基通11-2-6）

3. 売掛債権等の範囲

   (1) 既存債権と関係のない受取手形の割引分（本問では割引取得した手形の再割引分）は売掛債権等に含まれない。（基通11-2-17）

   (2) 仕入割戻しの未収金、手付金は売掛債権等に該当しない。（基通11-2-18）

   (3) 他人のために立替払いした場合の立替金は売掛債権等に含まれる。（基通11-2-16）

4. 一括貸倒引当金の設定対象債権である一括評価金銭債権からは、個別貸倒引当金の設定対象となった金銭債権の全額を控除する。（法52②）

5. 貸倒実績率は、当期首前3年以内に開始した各事業年度（前期、前々期及び前々々期）をもとに計算する。（令96⑥）

問題 3 個別評価・一括評価②

重要度 C

次の資料により、当社の当期（令和7年4月1日～令和8年3月31日）における税務上調整すべき金額を計算しなさい。なお、当社は製造業を営む期末資本金1億円（株主は全て個人である。）の内国法人である。

1. 当期末の売掛金、貸付金等の内訳は次のとおりである。

売 掛 金	109,300,000円
受 取 手 形	45,000,000円
貸 付 金	36,000,000円
未 収 金	12,000,000円

   (注) 一括評価金銭債権について、債務者から受け入れた金額があるため実質的に債権とみられないものの実額は16,000,000円である。

2. 売掛金及び貸付金の中には、得意先A商店に対する売掛金5,000,000円及び貸付金6,000,000円がそれぞれ含まれているが、同商店は、令和8年2月18日に民事再生法の規定による再生手続開始の申立てを行っている。なお、当社は同商店に対しては買掛金1,000,000円と支払手形300,000円がある。また、貸付金については2,000,000円の担保を設定すると

もに、製造業を営むB社からの債務保証を受けている。当社は、このA商店に対する売掛金及び貸付金について個別貸倒引当金5,000,000円を繰り入れている。

3. 売掛金の中には、得意先C社に対する売掛金3,800,000円（実質的に債権とみられない部分の金額及び担保権の実行、金融機関又は保証機関による保証債務の履行その他により取立て等の見込みがあると認められる部分の金額はない。）が含まれている。なお、同社については令和6年12月5日に会社更生法の規定による更生手続の開始の申立てが行われたため、前期（令和6年4月1日～令和7年3月31日）において同社に対する売掛金4,000,000円に対して個別評価により貸倒引当金2,000,000円を設定していたが、当期中の令和7年12月18日に同社に係る更生計画の認可決定が行われたため、設定していた金額2,000,000円を戻し入れた。このうち当社に関する部分の内容は次のとおりである。

(1) C社に対する売掛金4,000,000円のうち1,000,000円は切り捨てる。

(2) 残額のうち2,000,000円は、令和8年3月を第1回とし、その後毎年3月に200,000円ずつを10回に分割して弁済する。

(3) 残りの1,000,000円は、上記(2)の完済を条件に令和17年3月に切り捨てる。なお、この件に関して当社は第1回分の弁済額を入金処理し、個別貸倒引当金を1,900,000円繰り入れている。

4. 受取手形はすべて売掛金の回収として取得したものである。また、このほかに売掛金の回収として取得し、売却した受取手形29,000,000円が貸借対照表に注記されている。

5. 貸付金の中には、仕入先D社に対する貸付金20,000,000円が含まれているが、これについては同社の代表取締役の個人資産である土地（時価30,000,000円）の担保提供を受け、この土地に抵当権を設定している。

6. 未収金の内訳は、次のとおりである。

(1) 損害賠償金として支払いを受けるべきことが確定して収益に計上した未収損害賠償金

7,300,000円

(2) 得意先の借入保証債務の履行に伴い計上した求償権 4,500,000円

(3) 未収配当金として収益に計上したもの 200,000円

7. 当社の租税特別措置法施行令第33条の9第3項《実質的に債権とみられないものの簡便計算》の規定による実質的に債権とみられないものの額の控除割合は0.0671である。

8. 当社の過去の事業年度における一括評価金銭債権の額及び貸倒損失の額（上記3.の個別貸倒引当金の繰入額は含まれていない。）は、次のとおりである。

事業年度	一括評価金銭債権の額	貸倒損失の額
令 4.4.1～令 5.3.31	157,734,000円	710,000円
令 5.4.1～令 6.3.31	149,786,000	1,550,000
令 6.4.1～令 7.3.31	170,100,000	1,280,000

9．当社は、当期に一括貸倒引当金を2,700,000円繰り入れており、前期に繰り入れた一括貸倒引当金2,500,000円(うち繰入超過額310,000円)は全額を取り崩して収益に計上している。

解 答

1．貸倒損失認定損

1,000,000円 （減・留）

2．個別貸倒引当金繰入超過額

(1) A

① 限度額

(5,000,000円＋6,000,000円－1,000,000円－2,000,000円)×50％＝4,000,000円

② 超過額

5,000,000円－4,000,000円＝1,000,000円 （加・留）

(2) C

① 限度額

(3,800,000円－1,000,000円－200,000円×5)＝1,800,000円

② 超過額

1,900,000円－1,800,000円＝100,000円 （加・留）

3．一括貸倒引当金繰入超過額認容

310,000円 （減・留）

4．一括貸倒引当金繰入超過額

(1) 貸倒実績率による限度額

① 一括評価金銭債権

$$\underset{A}{(109,300,000円－5,000,000円－3,800,000円)}\underset{C}{}＋(45,000,000円＋29,000,000円)$$
$$＋\underset{A}{(36,000,000円－6,000,000円)}＋7,300,000円＋4,500,000円＝216,300,000円$$

② 貸倒実績率

$$\frac{(710,000円＋1,550,000円＋1,280,000円＋2,000,000円)\times\frac{12}{36}}{(157,734,000円＋149,786,000円＋170,100,000円)\div3}＝0.01159 \rightarrow 0.0116$$

③ 繰入限度額

①×②＝2,509,080円

(2) 法定繰入率による限度額

① 一括評価金銭債権

216,300,000円

② 実質的に債権とみられないものの額

　　16,000,000円＞①×0.067＝14,492,100円　　∴　14,492,100円

③ 繰入限度額

$$(①-②)\times\frac{8}{1,000}=1,614,463円$$

(3) 一括貸倒引当金繰入限度額

　　(1)＞(2)　　∴　2,509,080円

(4) 一括貸倒引当金繰入超過額

　　2,700,000円－2,509,080円＝190,920円（加・留）

解答への道

1．民事再生法の規定による再生手続開始の申立ては個別貸倒引当金（形式基準）の設定事由に該当する。（令96①三）

2．個別貸倒引当金の繰入限度額の計算上、個人的な保証は控除しない。（令96①三）

3．更生計画の認可決定は、法的な債権の消滅として貸倒損失の計上が強制される。本問では、会社が未処理であるため、別表４において申告減算を行う。

　　また、更生計画の認可決定により長期棚上げ等があった場合には、当期末後５年以内に弁済される金額以外の金額について、個別貸倒引当金（長期棚上げ基準）の繰入れができる。

　　　　　　　　　　　　　　　　　　　　　　　　　　　（基通9-6-1、令96①一）

　　なお、Ｃ社に対する売掛金3,800,000円は第１回目の弁済額（令和８年３月分）である200,000円が控除された後の残額である点に注意してほしい。

4．売掛債権等の範囲

(1) 未収損害賠償金、保証債務を履行した場合の求償権は売掛債権等に含まれる。

　　　　　　　　　　　　　　　　　　　　　　　　　　　　　　（基通11-2-16）

(2) 未収配当金は売掛債権等に該当しない。（基通11-2-18）

5．貸倒実績率の計算上、貸倒損失の額（分子）には、個別貸倒引当金の繰入額が含まれる。

　　　　　　　　　　　　　　　　　　　　　　　　　　　　　　（令96②二）

第23章　貸倒引当金

第24章

欠損金の繰越し・繰戻し

1 個別論点のチェック

項　目		参照条文	問1	問2	問3	問4	問5
青色欠損金	1．繰越控除	法57	○	○	○	○	
	2．繰戻し還付	法80					○
3．青色申告書を提出しなかった事業年度の欠損金の特例		法58		○			
4．債務免除等があった場合の欠損金の損金算入		法59			○	○	
5．欠損金の損金算入の順序		基通12－1－1	○	○			

2 他項目との関連

　欠損金の取扱いが直接的に関連する他項目はないが、課税外収入として課税留保金額の計算と結びついている。また、欠損金の繰戻し還付を行った場合には、還付金の取扱いが生ずることになる。

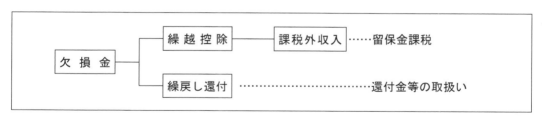

　　次の資料により、1年決算法人である当社（期末資本金1億円であり、株主はすべて個人である。）の各期の所得計算上損金の額に算入される欠損金額を計算しなさい。なお、欠損金の繰戻し還付については考慮不要とする。

1．第1期から第9期までの間に発生した所得金額又は欠損金額は次のとおりである。所得金額は、繰越欠損金の損金算入前の金額である。

期	事業年度	申告区分	所得金額又は欠損金額
第1期	平29.　4.　1～平30.　3.　31	白色	△1,850,000円
第2期	平30.　4.　1～平31.　3.　31	青色	△4,800,000
第3期	平31.　4.　1～令2.　3.　31	青色	△2,400,000
第4期	令2.　4.　1～令3.　3.　31	青色	2,000,000
第5期	令3.　4.　1～令4.　3.　31	青色	2,250,000
第6期	令4.　4.　1～令5.　3.　31	青色	△　800,000
第7期	令5.　4.　1～令6.　3.　31	青色	△　350,000
第8期	令6.　4.　1～令7.　3.　31	青色	4,500,000
第9期	令7.　4.　1～令8.　3.　31	青色	1,000,000

2．いずれの期についても期限内に確定申告書が提出され、かつ、欠損金額には災害による損失金額はない。

解　答

1．第4期　　4,800,000円（第2期）＞2,000,000円　　　　　　　　∴　2,000,000円

2．第5期　　4,800,000円－2,000,000円（第2期残高）＝2,800,000円＞2,250,000円

　　　　　　　　　　　　　　　　　　　　　　　　　　　　　∴　2,250,000円

3．第8期　　2,800,000円－2,250,000円（第2期残高）＋2,400,000円（第3期）

　　　　　＋800,000円（第6期）＋350,000円（第7期）＝4,100,000円＜4,500,000円

　　　　　　　　　　　　　　　　　　　　　　　　　　　　　∴　4,100,000円

解答への道

1．2以上の事業年度に欠損金額がある場合には、最も古い事業年度において生じた欠損金額から順次控除する。（基通12-1-1）

2．繰越期間は、平成30年4月1日前に開始する事業年度において生じた欠損金額については9年、

平成30年4月1日以後に開始する各事業年度において生じた欠損金額については10年である。

3．単なる白色欠損金（第1期）は、繰越控除の対象とならない。（法58①）

| 問 題 2 | 災害損失金額と青色欠損金の関係 | 重 要 度 | B |

次の資料により、第19期において控除できる欠損金額を計算しなさい。なお、当社（期末資本金2億円である。）は設立以来1年決算法人であり、欠損金の繰戻し還付については考慮不要とする。

第11期から第19期までの間に発生した所得金額又は欠損金額は次のとおりであり、各期とも期限内に確定申告している。

期	事業年度	申告区分	所得金額又は欠損金額	備　考
第11期	平29. 4. 1～平30. 3.31	白色	1,450,000円	①　所得金額は、すべて
第12期	平30. 4. 1～平31. 3.31	白色	1,750,000	繰越控除前の金額で
第13期	平31. 4. 1～令 2. 3.31	白色	2,050,000	ある。
第14期	令 2. 4. 1～令 3. 3.31	白色	5,600,000	②　第17期の欠損金額
第15期	令 3. 4. 1～令 4. 3.31	白色	3,300,000	のうち災害による損
第16期	令 4. 4. 1～令 5. 3.31	白色	8,300,000	失金が2,500,000円含
第17期	令 5. 4. 1～令 6. 3.31	白色	△ 4,200,000	まれている。
第18期	令 6. 4. 1～令 7. 3.31	青色	△ 5,700,000	
第19期	令 7. 4. 1～令 8. 3.31	青色	3,000,000	

解 答

（災害損失金額）

2,500,000円（第17期災害）＞3,000,000円×50％＝1,500,000円　　∴　1,500,000円

解答への道

1．白色事業年度の欠損金のうち災害損失金額は、繰越控除が認められる。（法58①）

2．青色事業年度の欠損金は、無条件に繰越控除が認められる。

　　なお、資本金1億円超の法人等について所得金額に50％を乗じた金額が限度となる。

次の資料により、青色申告法人である当社の欠損金等の当期控除額を求めなさい。

(1) 当社は、会社更生法による更生手続開始の決定及び更生計画認可の決定を受けた。

(2) 当社は法人税法25条及び33条に係る資産の評価替えを行い評価益2,400,000円を収益に、評価損1,200,000円を費用に計上した。

(3) 債権者A社から債務8,000,000円のうち、7,000,000円が債務免除され収益に計上した。

(4) 債権者B社から債務3,000,000円の全額が債務免除され収益に計上した。

(5) 更生手続開始当時に役員であったC氏（現在は退職している。）から2,000,000円の私財提供を受け収益に計上した。

(6) 設立時からの大株主であるD氏から金銭1,000,000円の贈与を受け収益に計上した。

(7) 当社の当期の繰越欠損金控除前の所得金額は15,000,000円である。前期からの繰越欠損金は合計18,000,000円であるが、このうち6,000,000円は当期に控除できる青色欠損金である。

(8) 当社の当期末の資本金の額は200,000,000円である。

解　答

1．更生欠損金

(1) 繰越欠損金

18,000,000円

(2) 債務免除益等

(2,400,000円－1,200,000円)＋7,000,000円＋3,000,000円＋2,000,000円＋1,000,000円

＝14,200,000円

(3) (1) ＞ (2)　　∴　14,200,000円　（減・課）

2．青色欠損金

(1) ないものとされる金額

14,200,000円－(18,000,000円－6,000,000円)＝2,200,000円

(2) 青色欠損金

6,000,000円－2,200,000円＝3,800,000円

(3) 15,000,000円－14,200,000円＝800,000円

(4) (2) ＞ (3)　　∴　800,000円　（減・課）

1．債務免除等があった場合の損金算入の対象となる欠損金額は、青色欠損金・災害損失金額を控除する前の金額である。

2．損金算入額は、1の欠損金額と債務免除益等のいずれか少ない金額とする。（法59①）

3．会社更生法等による場合の計算パターンは、次のとおりである。

（1）更生欠損金

　① 繰越欠損金

　② 債務免除益等＋受贈益＋(評価益－評価損)
　　　　　　　　　　　　　マイナス時は0

　③ ①と②の少（減・課）

（2）青色欠損金

　① ないものとされる金額（マイナスの場合は0）

　　　(1)③－（繰越欠損金－青色欠損金）

　② 青色欠損金－①

　③ 別表4差引計－(1)による控除額

　④ ②と③の少（減・課）

　　次の資料により、青色申告法人である当社の当期（令和７年４月１日～令和８年３月31日）における欠損金等の当期控除額を計算しなさい。

(1) 債務免除等に関する事項

　　令和７年５月21日において民事再生法による再生手続開始の決定に伴い、次に掲げる債務免除等を受け収益に計上している。

① 債権者から債務免除を受けたもの		2,500,000円
② 株主から私財提供を受けたもの	現金	5,000,000円
③ 役員から私財提供を受けたもの	現金	3,000,000円
	土地（時価）	6,000,000円
合　　計		16,500,000円

　　(注) このほかに当社は、当期において再生計画認可の決定に伴う資産の評定を行い、評価益8,000,000円を収益に、評価損4,000,000円を費用に計上している。

(2) 当期の所得金額（別表４差引計）は48,434,000円である。

(3) 利益積立金額に関する事項

　　当期法人税申告書別表５（一）のⅠの期首現在利益積立金額の差引合計額は△25,000,000円である。なお、このうち当期に控除することができる青色欠損金の額は5,000,000円である。

(4) 当社の当期末の資本金の額は100,000,000円であり、株主はすべて個人である。

解　答

1．再生等欠損金

(1) 繰越欠損金

　　25,000,000円

(2) 債務免除益等

　　16,500,000円＋(8,000,000円－4,000,000円)＝20,500,000円

(3) 別表４差引計

　　48,434,000円

(4) (1)～(3)の最少　　∴　20,500,000円（減・課）

2．青色欠損金

(1) ないものとされる金額

　　20,500,000円－(25,000,000円－5,000,000円)＝500,000円

(2) 青色欠損金

　　5,000,000円－500,000円＝4,500,000円

(3) 48,434,000円－20,500,000円＝27,934,000円

(4) (2)＜(3)　　　∴　4,500,000円（減・課）

解答への道

1. 所定の評定を行った場合、債務免除等があった場合の損金算入の対象となる欠損金額は、青色欠損金・災害損失金額を控除する前の金額である。

2. 損金算入額は、①1の欠損金額②債務免除益等③別表4差引計のいずれか少ない金額とする。

（法59②）

3. 民事再生法等・所定の評定を行った場合の計算パターンは、次のとおりである。

(1) 再生等欠損金

　① 繰越欠損金

　② 債務免除益等＋受贈益＋(評価益－評価損)
　　　　　　　　　　　　　マイナス時はマイナスのまま通算

　③ 別表4差引計

　④ ①～③の最少（減・課）

(2) 青色欠損金

　① ないものとされる金額（マイナスの場合は0）

　　(1)③－(繰越欠損金－青色欠損金)

　② 青色欠損金－①

　③ 別表4差引計－(1)による控除額

　④ ②と③の少（減・課）

次の資料に基づき、欠損金の繰戻し還付により還付されるべき金額を計算しなさい。

　当社の当期（令和7年4月1日～令和8年3月31日）において次の別表4に掲げる欠損金額が生じたため、この確定申告書の提出とともに前期（令和6年4月1日～令和7年3月31日）において納付した法人税額の還付請求をすることとした。なお、当社は青色申告法人であり、欠損金の繰戻し還付の適用を受けることができる法人である。

1．前期の別表1　　　　　（単位：円）

摘　　　　要	金　　額
所　得　金　額	178,627,300
法　人　税　額	40,785,464
法人税額の特別控除額	393,400
留保金額に対する税額	0
法　人　税　額　計	40,392,064
控　除　所　得　税　額	1,224,200
差引所得に対する　　法　人　税　額	39,167,800
中間申告分法人税額	18,000,000
差引確定法人税額	21,167,800

2．当期の別表4　　　　　（単位：円）

区　　　分		金　　額
当　期　欠　損　の　額		△51,270,000
加算	損金経理法人税等	19,765,000
	損金経理住民税	3,953,000
	減価償却超過額	4,180,450
	貸倒引当金繰入超過額	2,450,000
	小　　　計	30,348,450
減算	納税充当金支出事業税等	7,620,000
	受取配当等の益金不算入額	2,592,000
	小　　　計	10,212,000
仮　　　　計		△31,133,550
法人税額控除所得税額		667,167
合計・差引計・総計		△30,466,383
欠　損　金　額		△30,466,383

解　答

差引所得法人税　控除所得税額
$$(39,167,800円 + 1,224,200円) \times \frac{30,466,383円}{178,627,300円} = 6,889,194円$$

解答への道

1．繰戻し還付の対象となる法人税額は本税に限り、控除所得税額及び控除外国税額適用前の金額を用いる。（法80①）

2．繰戻しによる還付金額は益金不算入となる。

第25章

リース取引

1 個別論点のチェック

項　　　目	参照条文	問1
売買とされる場合	法64の2①、③	○

2 他項目との関連

　企業が資産を使用するにあたって購入形態に代えてリースによる形態も増えているため、基本的なものは押さえる必要がある。また、リース取引の論点は、通常は減価償却の論点とあわせて出題される可能性が高い。

（問１）次の資料により、当社の当期（令和７年４月１日〜令和８年３月31日）における税務

上調整すべき金額を計算しなさい。

１．当社は期末資本金５億円の青色申告法人であり、当社株主に法人株主はいない。また当社

は器具備品の減価償却方法として定額法を選定し届け出ている。

２．当期の９月１日に電子計算機をＡリース株式会社からリースした。当期に支払ったリース

料1,050,000円は費用に計上している。

３．リース契約の内容は次のとおりである。

①　リース期間　令和７年９月１日から３年間（リース期間中の中途解約は禁止されている。）

②　リース料　月額　150,000円

③　リース料総額は、当該電子計算機の取得価額等のおおむね全額を支弁する。

④　リース物件の法定耐用年数は４年（定額法償却率 0.250）である。

⑤　リース終了後には、著しく有利な価額での購入選択権を有する旨が定められている。

（問２）上記取引が⑤の要件を満たさず、所有権移転外リース取引に該当する場合の調整はど

うなるか。

解　答

（問１）

（1）償却限度額

①　$150,000$円$\times 12$月$\times 3$年$=5,400,000$円

②　$5,400,000$円$\times 0.250 \times \dfrac{7}{12} = 787,500$円

（2）償却超過額

$1,050,000$円$-787,500$円$=262,500$円　（加・留）

（問２）

所有権移転外リース取引に該当する場合

$1,050,000$円$-5,400,000$円$\times \dfrac{7}{3 \times 12} = 0$　　　∴　是認

解答への道

１．中途解約が禁止されており、リース料総額は取得価額等のおおむね全部を支弁しているため、

法人税法上のリース取引に該当する。（法64の２③）

２．リース期間終了後に著しく有利な価額での購入選択権を有する旨が定められている場合には、

所有権移転外リース取引以外のリース取引に該当する。

３．所有権移転外リース取引に該当する場合には、リース期間定額法により償却する。

借　地　権

1　個別論点のチェック

項　　目	参照条文	問1	問2
1．土地等の簿価一部損金算入	令138　①	○	
2．更新料を支払った場合	令139		○

2　他項目との関連

　借地権についての権利金の認定は贈与の概念により説明されているので、相手方により、寄附金や給与と絡む場合が多い。また、土地等の簿価一部損金算入は土地の部分的譲渡を意味しているため、圧縮記帳等との組合せが考えられる。

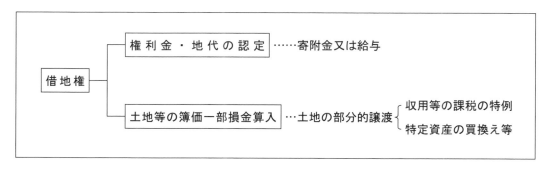

次の資料により、当社の当期（令和7年4月1日～令和8年3月31日）における税務上調整すべき金額を計算しなさい。

1．令和7年4月16日に、国内にある倉庫跡地200㎡（平成13年3月30日に取得したものであり、帳簿価額は6,000,000円である。）について、B社との間に建物所有を目的とした借地権の設定を行っている。

2．この借地権の設定に伴って、借地権利金を30,000,000円、相当の地代である地代年額630,000円（月額52,500円）を収受し収益に計上するとともに、不動産業者に支払った仲介手数料500,000円を費用に計上した。

3．この土地の更地として通常売買される価額は45,000,000円、同土地の相続税評価額は、31,500,000円であり、この借地権の設定に伴って賃貸後の価額は15,000,000円に下落したと認められる。

4．当期中の11月に国内にある土地2,500㎡を30,000,000円で購入するとともに、この土地の上に工場を70,000,000円で新築する予定である。当社は、租税特別措置法第65条の7に規定する特定資産の買換えの圧縮記帳の適用を受けるものとし、当期の確定した決算において剰余金の処分により土地圧縮積立金9,000,000円を積立て、特別勘定積立金 15,000,000円を積立てた。

解 答

1．時価下落の判定

$$\frac{45,000,000円-15,000,000円}{45,000,000円} \geqq \frac{5}{10} \qquad \therefore \quad 著しい下落$$

2．土地等の簿価一部損金算入

$$6,000,000円 \times \frac{30,000,000円}{45,000,000円} = 4,000,000円 （減・留）$$

3．圧縮記帳

(1) 差益割合 $\dfrac{30,000,000円-(4,000,000円+500,000円)}{30,000,000円}=0.85$

(2) 圧縮基礎取得価額

$$30,000,000円 \times \frac{200㎡ \times 5}{2,500㎡} = 12,000,000円 < 30,000,000円 \qquad \therefore \quad 12,000,000円$$

(3) 圧縮限度額

$$12,000,000円 \times 0.85 \times 0.8 = 8,160,000円$$

(4) 積立超過額

9,000,000円－8,160,000円＝840,000円 （加・留）

(5) 特別勘定積立限度額

① 30,000,000円－12,000,000円＝18,000,000円＜70,000,000円 　　∴ 18,000,000円

② 18,000,000円×0.85×0.8＝12,240,000円

(6) 特別勘定積立超過額

15,000,000円－12,240,000円＝2,760,000円 （加・留）

４．土地圧縮積立金積立

9,000,000円 （減・留）

５．特別勘定積立金積立

15,000,000円 （減・留）

解答への道

1．借地権の設定等により土地の価額が10分の5以上下落したときは、土地の簿価の一部が損金算入される。（令138）

2．土地等の簿価一部損金算入が適用される場合には土地の部分的譲渡と同一であるから、借地権の設定を「譲渡資産」と考え、特定資産の買換の圧縮記帳が適用される。この場合における譲渡原価は、土地の簿価に下落割合を乗じて計算する。（措法65の7、措令39の7⑲）

3．借地権の設定等により特定資産の買換えの圧縮記帳の適用を受ける場合における土地等の面積制限は、その借地権等の目的となっている土地の面積を基礎とする。（措通65の7(1)－36）

第26章

借地権

次の資料により、当社の当期（令和7年4月1日〜令和8年3月31日）における税務上調整すべき金額を計算しなさい。

当社は、かねてA社から借地権を取得していたが、当期において存続期間が満了したので、さらにその期間を更新するために更新料を3,000,000円支払い、その金額を損金経理した。なお、更新直前の借地権の帳簿価額は7,500,000円であり、更新時の借地権の時価は20,000,000円である。

解　答

1．借地権簿価の減額

$$7,500,000円 \times \frac{3,000,000円}{20,000,000円} = 1,125,000円$$

2．税務上の簿価

7,500,000円＋3,000,000円－1,125,000円＝9,375,000円

3．会社計上額

7,500,000円

4．借地権計上もれ

2－3＝1,875,000円（加・留）

解答への道

借地権の更新に際し支払う更新料は、借地権の帳簿価額に加算するとともに、支払った更新料をベースに借地権簿価の一部を損金算入する。なお、必要的調整事項であることに注意してほしい。

（令139）

第27章

外貨建資産等の換算

1 個別論点のチェック

項　目		参照条文	問1	問2
換算方法	1．換　算　方　法	法61の9	○	
	2．換算方法の選定	令122の4、5	○	
	3．法定換算方法	令122の7	○	
為替予約	4．外貨建資産等(原則)	法61の10①		○
	5．短期外貨建資産等(特例)	法61の10③		○

2 他項目との関連

　外貨建資産等に係る換算損益は、資産（売掛債権等）及び負債（実質的に債権とみられないものの額）の増減を意味しており、この点で貸倒引当金と関係を有している。また、海外取引と組合せて出題されることもあり、外国税額控除が同一の資料に含まれていることもあるので注意してほしい。

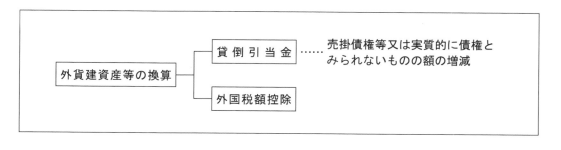

問 題 1　基本型

次の資料により、当社の当期（令和７年４月１日～令和８年３月31日）における税務上調整すべき金額を計算しなさい。

１．当期末における外貨建資産等の保有状況は次のとおりである。

区　　　　　　分		帳簿価額	回収又は支払期限
外貨建債権	売掛金	20,000ドル　2,880,000円	令和８年12月31日
		40,000ドル　5,640,000円	令和９年５月31日
	貸付金	160,000ドル　20,000,000円	令和９年２月28日
		100,000ドル　14,000,000円	令和９年12月31日
外貨建有価証券		230,000ドル　27,140,000円	――
外貨建債務	買掛金	30,000ドル　3,600,000円	令和８年９月30日
		36,000ドル　5,076,000円	令和９年４月30日
	借入金	40,000ドル　5,720,000円	令和９年３月20日
		60,000ドル　8,280,000円	令和９年６月30日

（注１）帳簿価額は、取得又は発生日の為替相場による円換算額である。

（注２）当社は従来よりドル建の外貨建資産等を有している。

（注３）外貨建有価証券は売買目的有価証券に該当するものであり、当期末の時価は210,000ドルである。

２．当期末における為替相場は次のとおりである。なお、当社は従来より原則的な為替相場を採用している。

　　　　電信売相場　　　　　　（Ｔ・Ｔ・Ｓ）　　　131円

　　　　電信売買相場の仲値　　（Ｔ・Ｔ・Ｍ）　　　130円

　　　　電信買相場　　　　　　（Ｔ・Ｔ・Ｂ）　　　129円

３．当社は外貨建資産等の換算方法については、選定は行っていない。

解　答

１．売掛金

20,000ドル×130円－2,880,000円＝△280,000円……売掛金過大計上（減・留）

２．貸付金

160,000ドル×130円－20,000,000円＝800,000円……貸付金計上もれ（加・留）

3．買掛金

3,600,000円－30,000ドル×130円＝△300,000円……買掛金計上もれ（減・留）

4．借入金

5,720,000円－40,000ドル×130円＝520,000円……借入金過大計上（加・留）

5．外貨建有価証券

210,000ドル×130円－27,140,000円＝160,000円……有価証券計上もれ（加・留）

解答への道

1．外貨建資産等のうち当期末から１年以内に支払期限の到来するものが短期外貨建資産等に該当する。（法61の10③）

2．外貨建資産等の換算方法の選定を行っていないので、短期外貨建資産等は期末時換算法により、その他の外貨建資産等は発生時換算法により換算する。（令122の７）

3．売買目的有価証券には期末時換算法しか認められていない。（法61の９）

4．期末時換算法を適用する場合の期末為替相場は、設問のコメントから、原則のＴ・Ｔ・Ｍによる。（基通13の2-2-5）

問 題 2　為替予約　　重要度 B

次の資料により、当社の当期（令和７年４月１日～令和８年３月31日）における税務上調整すべき金額を計算しなさい。なお、必要な帳簿書類への記載は、適正に行われている。

1．当期末における外貨建資産等の保有状況は次のとおりである。

区　　分		帳簿価額	回収又は支払期限
貸 付 金 A	30,000ドル	4,020,000円	令和９．６．30
貸 付 金 B	10,000ドル	1,340,000円	令和10．７．31
借 入 金 C	12,000ドル	1,620,000円	令和８．10．31

2．貸付金Aは、令和７年７月１日に貸付けたもの（取引日の為替レートは１ドル＝131円）であり、取引前に為替予約を付し、予約レートの１ドル＝134円で換算している。

3．貸付金Bは、令和７年８月１日に貸付けたものであり、同日における為替レート１ドル＝130円で換算している。その後、令和８年２月１日に１ドル＝134円で為替予約を付し、予約レートで換算している。

なお、予約日における為替レートは、１ドル＝131円であった。

4．借入金Cは、令和７年11月１日に借り入れたものであり、取引と同時に為替予約を付し、予約レートの１ドル＝135円で換算している。

5. 為替予約差額のあん分を行う場合には、月数によるものとする。また、短期外貨建資産等
　について は、為替予約差額を一括計上する旨を記載した書面を当期の確定申告期限までに所
　轄税務署長に提出する予定である。

解　答

1. 貸付金Ａ（取引前に予約）

(1)　(134円－131円)×30,000ドル＝90,000円

(2)　0円－$\left(90,000円－90,000円×\dfrac{9月}{24月}\right)$＝△56,250円……前受収益計上もれ（減・留）

【図　解】

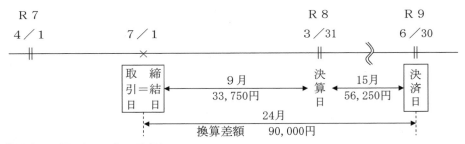

2. 貸付金Ｂ（取引日以後の予約）

(1)　(134円－131円)×10,000ドル＝30,000円

(2)　0円－$\left(30,000円－30,000円×\dfrac{2月}{30月}\right)$＝△28,000円……前受収益計上もれ（減・留）

【図　解】

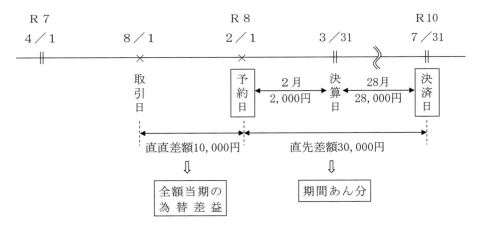

3. 借入金Ｃ（短期外貨建資産等）

　為替予約差額を一括計上する旨の届出を行っているため、あん分不要。

　∴　是　認

－216－

1．外貨建資産等の換算について先物外国為替契約等により円換算額を確定させ、その締結日において
その旨を帳簿書類に記載した場合における為替予約差額の計上は次のように行う。

（法61の8、61の10、令122の9）

予約時期	換算差額	換算差額の処理
取引日前の予約	予約レートと取引日レートとの換算差額	取引日～決済日までであん分する。 当期の損益 ＝ 換算差額 × $\dfrac{\text{取引日～期末の日数}^*}{\text{取引日～決済日の日数}^*}$
取引日以後の予約	取得日レートと予約日レートの差額（直直差額）	全額を予約事業年度の損益とする。
	予約レートと予約日レートの差額（直先差額）	予約日～決済日までであん分する。 当期の損益 ＝ 直先差額 × $\dfrac{\text{予約日～期末の日数}^*}{\text{予約日～決済日の日数}^*}$

＊月数によることもできる（1月未満切上）。

2．上記1の外貨建資産等が短期外貨建資産等に該当する場合には、為替予約差額を一括計上する
ことができる。ただし、この場合には、その旨を記載した書面を納税地の所轄税務署長に届け出
なければならない。（法61の10③、令122の10②）

第28章

グループ法人税制

1 個別論点のチェック

項　　　　目	参照条文	問1	問2	問3	問4
1．譲渡損益調整資産	法61の11	○			
2．寄附金・受贈益	法25の2、法37		○		
3．適格現物分配	法62の5			○	
4．株式の発行法人に対する譲渡等	法61の2、令8				○

2 他項目との関連

　グループ法人税制は重要な論点であるため、ひとつひとつの論点を丁寧に学習してほしい。他項目との関連としては、減価償却、寄附金、みなし配当、受取配当等の益金不算入などが考えられる。

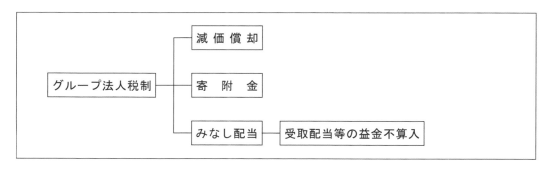

次の資料により、当社の当期（令和 7 年 4 月 1 日～令和 8 年 3 月31日）における税務上調整すべき金額を計算しなさい。

1．当社は、令和 7 年 9 月25日に、当社がその発行済株式総数のすべてを所有する内国法人乙社（年 1 回 3 月末決算の法人である。）に対し、以前より当社が事業供用していた機械装置Aを30,000,000円で譲渡した。

2．機械装置Aの譲渡直前の帳簿価額は18,000,000円、譲渡時の価額は30,000,000円であり、当社は帳簿価額と対価の差額である12,000,000円を固定資産売却益として特別利益に計上している。

3．乙社は機械装置Aの取得価額として30,000,000円を付すとともに、令和 7 年10月 3 日より事業供用している。なお、乙社における機械装置Aの耐用年数は 5 年であり、減価償却費としてその償却限度額相当額である6,000,000円を損金経理している。

解 答

1．譲渡損益調整勘定繰入額

　12,000,000円（減・留）

2．譲渡損益調整勘定戻入額

（1）原則法

$$12,000,000円 \times \frac{6,000,000円}{30,000,000円} = 2,400,000円$$

（2）簡便法

$$12,000,000円 \times \frac{7}{5 年 \times 12} = 1,400,000円$$

（3）（1）＞（2）　∴　1,400,000円（加・留）

解答への道

1．機械装置Aは譲渡直前帳簿価額が1,000万円以上の固定資産であるため、譲渡損益調整資産に該当する。

2．譲渡損益調整勘定戻入額の計算は、原則法と簡便法のいずれかにより行う。本問においては戻入額が別表 4 において加算されるため、いずれか少ない方を採用した方が有利となる。

問　題　2	寄附金・受贈益	重要度	A

> 　次の資料により、当社及び乙社の当期（令和7年4月1日〜令和8年3月31日）における税務上調整すべき金額を計算するとともに、当社の当期に係る申告書別表5（一）Iの記載を行いなさい。
> 1．当社は、令和7年11月10日に、当社がその発行済株式総数のすべてを所有する内国法人乙社（年1回3月末決算の法人である。）に対し、資金援助のため、金銭1,000,000円を贈与した。

（答案用紙）

当社の申告書別表5（一）I　　　　　　　　　　　　　　　　　　　　　　　（単位：円）

区　　　分	①	②	③	④

解　答

【当社】

1．寄附金の損金不算入額

　　1,000,000円（加・流）

当社の申告書別表5（一）I　　　　　　　　　　　　　　　　　　　　　　　（単位：円）

区　　　分	①	②	③	④
乙社株式			1,000,000	1,000,000

【乙社】

1．受贈益の益金不算入額

　　1,000,000円（減・課）

解答への道

1．当社と乙社の間には、法人（当社）による完全支配関係があるため、当社の乙社に対する寄附金については、当社においてその全額が損金不算入となり、乙社においてその全額が益金不算入となる。

2．当社は乙社株式につき、寄附修正を行う。当社が乙社に1,000,000円を寄附していることから、申告書別表5（一）Iにおいて乙社株式勘定を1,000,000円増加させる。

問 題 3　適格現物分配

　次の資料により、当社の当期（令和7年4月1日〜令和8年3月31日）における税務上調整すべき金額を計算しなさい。

1. 当社は、令和7年6月25日に、当社がその発行済株式総数のすべてを所有する内国法人乙社（年1回3月末決算の法人である。）より、乙社の前期（令和6年4月1日〜令和7年3月31日）に係る利益剰余金の配当としてX社株式（有価証券）10株を現物分配により取得した。

2. 乙社におけるX社株式の現物分配直前の帳簿価額は1株当たり300,000円であり、当該配当の効力発生日におけるX社株式の価額は1株当たり500,000円である。

3. 当社は当該現物分配に関し、次の経理処理を行っている。

　　（借）X社株式　　3,000,000円　　（貸）雑収入　　3,000,000円

解 答

1. 適格現物分配に係る益金不算入額

　3,000,000円　（減・課）

解答への道

1. 当社と乙社の間には、当社による完全支配関係があり、現物分配を受ける者が内国法人である当社のみであるため、適格現物分配に該当する。

2. 適格現物分配による収益の額は、適格現物分配に係る益金不算入額として当期の益金の額に算入されない。

問題 4　株式の発行法人に対する譲渡等　　重要度　B

　次の資料により、当社の当期（令和7年4月1日〜令和8年3月31日）における税務上調整すべき金額を計算するとともに、当社の当期に係る申告書別表5（一）Ⅰ及び別表5（一）Ⅱの記載を行いなさい。

1．当社は、令和8年1月31日に、当社がその発行済株式総数のすべてを所有する内国法人乙社（年1回3月末決算の法人である。）の残余財産が確定したことにより、交付金銭等50,000,000円を受けた。

2．乙社の残余財産確定時の資本金等の額その他は次のとおりである。

　(1)　資本金等の額　　20,000,000円

　(2)　資本金の額　　　10,000,000円

　(3)　利益積立金額　　30,000,000円

3．当社における乙社株式の帳簿価額は24,000,000円であり、当社は当該取引に関し、以下の経理処理を行っている。

　　（借）現 金 預 金 50,000,000円　（貸）乙 社 株 式 24,000,000円
　　　　　　　　　　　　　　　　　　　（貸）乙社株式譲渡益 26,000,000円

（答案用紙）

申告書別表5（一）Ⅰ　　　　　　　　　　　　　　　　　　　　（単位：円）

区　　分	①	②	③	④

申告書別表5（一）Ⅱ　　　　　　　　　　　　　　　　　　　　（単位：円）

区　　分	①	②	③	④

解　答

1．乙社株式譲渡益否認

　26,000,000円（減・留）

2．受取配当計上もれ

　30,000,000円（加・留）

－223－

3．受取配当等の益金不算入額

30,000,000円（減・課）

申告書別表5（一）I　　　　　　　　　　　　　　　　　　　（単位：円）

区　　分	①	②	③	④
乙社株式（譲渡益）			△26,000,000	△26,000,000
乙社株式（みなし配当）			30,000,000	30,000,000

申告書別表5（一）II　　　　　　　　　　　　　　　　　　　（単位：円）

区　　分	①	②	③	④
乙社株式			△4,000,000	△4,000,000

解答への道

1．当社と乙社の間には、当社による完全支配関係があるため、当社が乙社の解散により乙社に対して乙社株式を譲渡することになり、有価証券の譲渡損益が資本金等の額の減少額となる。

2．みなし配当の計算は以下のとおりである。

   (1) 交付金銭等

   　　50,000,000円

   (2) 資本金等の額

   　　20,000,000円×1.0＝20,000,000円

   (3) みなし配当

   　　(1)－(2)＝30,000,000円

3．税務上の仕訳は次のとおりである。

   （借）現金預金　　　　50,000,000円　　（貸）乙社株式　　　24,000,000円

   （借）資本金等の額　　4,000,000円　　（貸）みなし配当　　30,000,000円

4．別表4においては、まず会計上の譲渡損益を否認し（乙社株式譲渡益否認）、みなし配当を認識するとともに（受取配当計上もれ）、そのみなし配当について益金不算入（完全子法人株式等）とする。

5．別表5（一）I及び別表5（一）IIについては、乙社株式譲渡益否認及び受取配当計上もれを別表5（一）Iに記載し、併せて税務上の仕訳における資本金等の額の減少額を別表5（一）IIに記載する。

第29章

法人税額の特別控除

1 個別論点のチェック

	項　　　　目	参照条文	問1	問2	問3	問4	問5	問6	問7
試験研究費	1．一般試験研究費	措法42の4①	○	○					
	2．特別試験研究費	措法42の4⑦	○						
	3．中小企業者等	措法42の4④			○				
4．特定機械装置等		措法42の6②						○	
5．特定経営力向上設備等		措法42の12の4②							○
6．給与等の支給額が増加した場合		措法42の12の5				○	○		

2 他項目との関連

　法人税額の特別控除に関する規定は、内容的には複雑なものは少ないので、基本算式と適用対象となる範囲をしっかり押さえてほしい。他項目との関連としては、留保金課税における住民税額の計算及び特別償却と関係を有している。

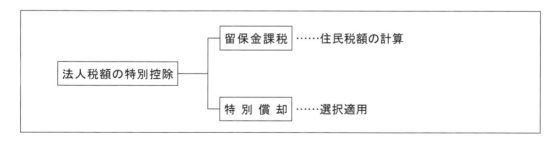

　次の資料により、資本金５億円の青色申告法人である当社（平成９年設立）の当期（令和７年４月１日～令和８年３月31日）における試験研究費の特別控除額を計算しなさい。

１．当期末までの各事業年度における試験研究費の額は、次のとおりである。

事　業　年　度	試験研究費の額
令和７年４月１日～令和８年３月31日	52,000,000円
令和６年４月１日～令和７年３月31日	51,000,000円
令和５年４月１日～令和６年３月31日	49,000,000円
令和４年４月１日～令和５年３月31日	50,000,000円
令和３年４月１日～令和４年３月31日	47,000,000円
令和２年４月１日～令和３年３月31日	48,000,000円

（注）当期の試験研究費の額のうち10,000,000円は、特別試験研究費であり、そのうち7,000,000円は特別試験研究機関等と共同して行うものである。なお、特定新事業開拓事業者等と共同又は委託を行っているものではない。

２．当期の所得金額は400,000,000円、前期の所得金額は360,000,000円である。

３．継続雇用者給与等支給額は480,000,000円、継続雇用者比較給与等支給額は490,000,000円である。

４．当期の国内設備投資額は50,000,000円、当期償却費総額は90,000,000円である。

５．当期の調整前法人税額は92,800,000円である。

６．試験研究費割合は10％以下である。

解　答

１．判定

(1) 400,000,000円＞360,000,000円

(2) 480,000,000円≦490,000,000円

(3) 50,000,000円＞90,000,000円×30％＝27,000,000円　　∴　適用あり

２．特別試験研究費の特別控除

(1) 税額控除限度額

① 7,000,000円×30％＝2,100,000円

② 3,000,000円×20％＝600,000円

③ ①＋②＝2,700,000円

(2) 税額基準額

$92,800,000円×10\%＝9,280,000円$

(3) (1)＜(2)　　∴　2,700,000円

3．一般試験研究費に係る特別控除

(1) 増減試験研究費割合及び控除割合

$$\frac{52,000,000円－\overset{*}{50,000,000円}}{*50,000,000円}＝0.04≦12\%$$

＊　$(51,000,000円＋49,000,000円＋50,000,000円)÷3＝50,000,000円$

∴　$0.115－(0.12－0.04)×0.25＝0.095$

(2) 税額控除限度額

$(52,000,000円－10,000,000円)×0.095＝3,990,000円$

(3) 控除上限額

$92,800,000円×25\%＝23,200,000円$

(4) 特別控除額

(2)＜(3)　　∴　3,990,000円

4．2＋3＝6,690,000円

解答への道

1．一定の中小企業者等以外の法人が、次の要件のいずれにも該当しないとき（当期の所得金額が前期の所得金額以下の場合を除く。）は、試験研究費の特別控除の規定は適用されない。

> (1) 継続雇用者給与等支給額＞継続雇用者比較給与等支給額
>
> (2) 国内設備投資額＞当期償却費総額×30%

2．特別試験研究費に係る控除割合は次のとおりである。

(1) 特別試験研究機関等に係る試験研究費の額　　　30%

(2) 特定新事業開拓事業者等に係る試験研究費の額　25%

(3) (1)(2)以外の特別試験研究費の額　　　　　　　20%

なお、調整前法人税額の10%が限度となる。

3．中小企業者等以外の法人であるため、中小企業者等の特別控除の適用はない。（措法42の4①）

4．中小企業者等以外の場合の計算パターンは次のとおりとなる。

---

(1) 判　定

① 当期の所得金額＞前期の所得金額→②へ

　　当期の所得金額≦前期の所得金額→適用あり

② 継続雇用者給与等支給額≦継続雇用者比較給与等支給額→③へ

　　継続雇用者給与等支給額＞継続雇用者比較給与等支給額→適用あり

③ 国内設備投資額≦当期償却費総額×30%→適用なし

　　国内設備投資額＞当期償却費総額×30%→適用あり

(2) 特別試験研究費の特別控除

(3) 一般試験研究費に係る特別控除

① 増減試験研究費割合及び控除割合

$$\frac{\text{当期の試験研究費の額－比較試験研究費の額}}{\text{比較試験研究費の額}}$$

$$\begin{cases} >12\%\rightarrow 0.115＋(\text{増減試験研究費割合}-0.12)\times 0.375 \ （3位未満切捨。上限14\%） \\ \leq 12\%\rightarrow 0.115－(0.12-\text{増減試験研究費割合})\times 0.25 \ （3位未満切捨。下限1\%） \end{cases}$$

② 税額控除限度額

　　当期の特別試験研究費以外の試験研究費の額×①の控除割合

③ 控除上限額

　　調整前法人税額×25%

　　次の場合は各金額（イ及びロの場合はその合計額）を加算

イ　設立日以後10年経過日までの期間内の日を含む一定の事業年度の場合

　…調整前法人税額×15%

ロ　次の場合

　…調整前法人税額×次の割合

　（イ）増減試験研究費割合が4%超の場合

　　…（増減試験研究費割合－0.04）×0.625（3位未満切捨。上限5%）

　（ロ）増減試験研究費割合が0に満たない場合の、その満たない部分の割合が4%超のとき

　　…　－（満たない部分の割合－0.04）×0.625（3位未満切捨。下限－5%）

④ ②と③の少ない方

(4) (2)＋(3)

問 題 2 　試験研究費の特別控除②　　重要度 B

次の資料により、資本金２億円の青色申告法人である当社（平成15年設立）の当期（令和７年４月１日～令和８年３月31日）における減価償却の調整及び試験研究費の特別控除額を計算しなさい。

1．当期末において損金経理した試験研究費は63,273,000円であり、その内容は次のとおりである。

（1）金属加工技術の改良のために支出したもの

① 原材料費　　　　19,993,000円

② 人 件 費　　　　19,180,000円

　　この人件費は、当社研究所に勤務する専任研究員分13,430,000円と当社研究所に勤務する専任事務職員分3,180,000円と保安警備員分2,570,000円からなる。

③ 経　　費　　　　8,400,000円

（2）試験研究用設備の購入費用　10,000,000円

　　試験研究用設備の明細は、次のとおりである。

区　　分	購入費用	耐用年数	事業供用日
試 験 機 器	3,000,000円	4年	令和７年10月１日
汎用金属工作機械	7,000,000円	7年	令和７年10月１日

① 当社は減価償却方法の選定・届出はしていない。

② 減価償却資産の定額法、定率法（平成24年４月１日以後取得分）償却率、改定償却率及び保証率の表

耐用年数	定額法償却率	定　率　法		
		償却率	改定償却率	保証率
4	0.250	0.500	1.000	0.12499
7	0.143	0.286	0.334	0.08680

（3）災害により破損した試験研究用固定資産の廃棄損　5,700,000円

2．上記１（1）の金属加工技術の研究費用に充てるため国庫補助金4,564,000円の交付を受けたので、雑収入として処理した。

3．前期までの各事業年度において損金算入した試験研究費の額は次のとおりである。

（1）令和３年４月１日～令和４年３月31日　　　42,000,000円

（2）令和４年４月１日～令和５年３月31日　　　27,000,000円

（3）令和５年４月１日～令和６年３月31日　　　31,000,000円

（4）令和６年４月１日～令和７年３月31日　　　29,000,000円

4．当期の所得金額は前期の所得金額以下である。

5．当期における調整前法人税額は、36,000,000円である。

解 答

〈減価償却超過額〉

1．試験機器

(1) 償却限度額

① 3,000,000円×0.500＝1,500,000円

② 3,000,000円×0.12499＝374,970円

③ ①≧② ∴ 1,500,000円

④ 1,500,000円×$\frac{6}{12}$＝750,000円

(2) 償却超過額

3,000,000円－750,000円＝2,250,000円（加・留）

2．汎用金属工作機械

(1) 償却限度額

① 7,000,000円×0.286＝2,002,000円

② 7,000,000円×0.08680＝607,600円

③ ①≧② ∴ 2,002,000円

④ 2,002,000円×$\frac{6}{12}$＝1,001,000円

(2) 償却超過額

7,000,000円－1,001,000円＝5,999,000円（加・留）

〈試験研究費の特別控除〉

1．判定

当期の所得金額が前期の所得金額以下 ∴ 適用あり

2．試験研究費の額

63,273,000円－3,180,000円－2,570,000円－2,250,000円－5,999,000円－5,700,000円

－4,564,000円＝39,010,000円

3．一般試験研究費に係る特別控除

(1) 増減試験研究費割合及び控除割合

$\frac{39,010,000円－29,000,000円}{*29,000,000円}$＝0.345…＞12%

＊ (27,000,000円＋31,000,000円＋29,000,000円)÷3＝29,000,000円

∴ 0.115＋(0.345…－0.12)×0.375＝0.1994… → 0.199＞0.14 ∴ 0.14

(2) 税額控除限度額

   39,010,000円×0.14＝5,461,400円

(3) 控除上限額

   ① 36,000,000円×25％＝9,000,000円

   ②イ （0.345…－0.04）×0.625＝0.1907…　→　0.190＞0.05

      ∴　0.05

    ロ　36,000,000円×0.05＝1,800,000円

   ③ ①＋②＝10,800,000円

(4) (2)＜(3)　　∴　5,461,400円

解答への道

1．特別控除の対象となる試験研究費に含まれる人件費は専ら専門的知識をもつ研究員に限られるので、事務職員及び警備員の人件費は特別控除の対象とならない。（措通42の4(2)－3）

2．試験研究用設備の購入費用のうち、減価償却に係る損金算入部分が特別控除の対象となる。（措通42の4(2)－4）

3．試験研究用固定資産の除却損又は譲渡損のうち、災害等に基づき臨時的に発生したものは、試験研究費に含まれない。（措通42の4(2)－5）

4．特別控除の対象となる試験研究費は自社負担分に限られ、他の者から支払を受けた金額（本問では国庫補助金）は特別控除の対象となる試験研究費から控除する。（措通42の4(2)－1）

問題 3　中小企業者等の特別控除　　　重要度 B

　当社は、青色申告書を提出する資本金1億円の中小企業者である。次の資料により、当期（令和7年4月1日～令和8年3月31日）における試験研究費の特別控除額を計算しなさい。

(1) 当期中に支出した試験研究費の額は、18,000,000円である。

(2) 前期以前の各事業年度の損金の額に算入された試験研究費の額は次のとおりである。

① 令和6年4月1日～令和7年3月31日		19,000,000円
② 令和5年4月1日～令和6年3月31日		18,600,000円
③ 令和4年4月1日～令和5年3月31日		18,200,000円
④ 令和3年4月1日～令和4年3月31日		17,800,000円
⑤ 令和2年4月1日～令和3年3月31日		17,500,000円

(3) 当期の調整前法人税額は29,360,000円である。

1．中小企業者等の特別控除（明らかに中小有利）

(1) 増減試験研究費割合及び控除割合

$$\frac{18,000,000円-18,600,000円}{*18,600,000円}=-0.0322\cdots\leqq12\%\qquad\therefore\quad0.12$$

　＊　(19,000,000円＋18,600,000円＋18,200,000円)÷3＝18,600,000円

(2) 税額控除限度額

　18,000,000円×0.12＝2,160,000円

(3) 控除上限額

　29,360,000円×25%＝7,340,000円

(4) (2)＜(3)　　∴　2,160,000円

解答への道

中小企業者等の特別控除の計算パターンは次のとおりである。

【中小企業者等の場合】

(1) 特別試験研究費の特別控除

(2) 中小企業者等の特別控除（控除率から中小有利）

　① 増減試験研究費割合及び控除割合

　$$\frac{当期の試験研究費の額-比較試験研究費の額}{比較試験研究費の額}$$

$$\begin{cases} >12\%\rightarrow0.12+（増減試験研究費割合-0.12）\times0.375（3位未満切捨。上限17\%） \\ \leqq12\%\rightarrow0.12 \end{cases}$$

　② 税額控除限度額

　　当期の特別試験研究費以外の試験研究費の額×①の控除割合

　③ 控除上限額

　　調整前法人税額×25%

　　増減試験研究費割合が12%超の場合は調整前法人税額×10%を加算

　④ ②と③のうち少ない方

(3) (1)＋(2)

問 題 4　給与等の支給額が増加した場合の特別控除①　　重要度　A

　　次の資料により、当社（青色申告法人であり、中小企業者等に該当する。）の当期（令和7年4月1日〜令和8年3月31日）における給与等の支給額が増加した場合の法人税額の特別控除額を計算しなさい。

(1) 当社が国内の雇用者に対して支給した給与等についての資料は、次のとおりである。

	前　　期	当　　期
雇用者に対する給与等支給額	279,656,000円	293,656,000円
継続雇用者に対する給与等支給額	251,200,000円	282,600,000円
教育訓練費	4,000,000円	4,800,000円

(2) 当社は当期末において、次世代育成支援対策推進法に規定する特例認定一般事業主に該当する。

(3) 当社の当期の調整前法人税額は55,000,000円とする。

解　答

(1) 判　定

$$\frac{293,656,000円－279,656,000円}{279,656,000円}=0.050\cdots≧1.5\%　　\therefore　適用あり$$

(2) 特別控除額

① 　0.050…≧2.5%　　∴　15%加算

② 　特例認定一般事業主に該当　　∴　5%加算

③ 　イ　$\dfrac{4,800,000円－4,000,000円}{4,000,000円}=0.2≧5\%$

　　　ロ　$\dfrac{4,800,000円}{293,656,000円}=0.016\cdots≧0.05\%$　　∴　10%加算

④ 　(293,656,000円－279,656,000円)×45%＝6,300,000円

(3) 税額基準額

　　55,000,000円×20%＝11,000,000円

(4) 特別控除額

　　(2)＜(3)　　∴　6,300,000円

当社は中小企業者等に該当するため、次の算式により計算を行う。

(1) 判　定

$$\frac{雇用者給与等支給額－比較雇用者給与等支給額}{比較雇用者給与等支給額} \geqq 1.5\% \quad \therefore \quad 適用あり$$

(2) 特別控除額

① 中小企業者等税額控除限度額　控除対象雇用者給与等支給増加額×15%（注1～4）

② 税額基準額　　　　調整前法人税額×20%

③ 特別控除額　　　①と②の少

（注1）次の要件を満たす場合には、15%を加算

(1)の割合≧2.5%

（注2）次の要件の全てを満たす場合には、10%を加算

① $\dfrac{教育訓練費－比較教育訓練費}{比較教育訓練費} \geqq 5\%$

② $\dfrac{教育訓練費}{雇用者給与等支給額} \geqq 0.05\%$

（注3）次の要件のいずれかを満たす場合には、5%を加算

① その事業年度において次世代育成支援対策推進法の認定を受けたこと。

② その事業年度終了の時において次世代育成支援対策推進法に規定する特例認定一般事業主に該当すること。

③ その事業年度において女性の職業生活における活躍の推進に関する法律の認定を受けたこと。

④ その事業年度終了の時において女性の職業生活における活躍の推進に関する法律に規定する特例認定一般事業主に該当すること。

（注4）（注1）から（注3）は重複適用可

| 問　題　５ | 給与等の支給額が増加した場合の特別控除② | 重　要　度 | A |

次の資料により、当社（資本金３億円の青色申告法人である。）の当期（令和７年４月１日
～令和８年３月31日）における給与等の支給額が増加した場合の法人税額の特別控除額を計算
しなさい。

（1）　当社が国内の雇用者に対して支給した給与等についての資料は、次のとおりである。

| 雇用者給与等支給額 | 415,300,000円 | 比較雇用者給与等支給額 | 366,200,000円 |
| 継続雇用者給与等支給額 | 372,600,000円 | 継続雇用者比較給与等支給額 | 349,100,000円 |

（2）　当期以前の各事業年度に損金算入された教育訓練費の額は次のとおりである。

当期	前期
4,710,000円	3,610,000円

（3）　当社の当期の調整前法人税額は130,000,000円とする。

設問１　当社が、常時使用する従業員の数が2,000人以下の特定法人に該当する場合

設問２　当社が、**設問１**の特定法人に該当しない場合

解　答

設問１

（1）判　定

$$\frac{372,600,000円－349,100,000円}{349,100,000円}＝0.067\cdots≧3\%\qquad\therefore\quad 適用あり$$

（2）特別控除額

①　$0.067\cdots≧4\%$　　　$\therefore$　　15％加算

②　イ　$\dfrac{4,710,000円－3,610,000円}{3,610,000円}＝0.304\cdots≧10\%$

　　ロ　$\dfrac{4,710,000円}{415,300,000円}＝0.011\cdots≧0.05\%$　　　$\therefore$　　5％加算

③　$(415,300,000円－366,200,000円)×30\%＝14,730,000円$

（3）税額基準額

$130,000,000円×20\%＝26,000,000円$

（4）特別控除額

$(2)＜(3)$　　　$\therefore$　　14,730,000円

設問2

(1) 判　定

$$\frac{372,600,000円 - 349,100,000円}{349,100,000円} = 0.067\cdots \geqq 3\% \qquad \therefore \quad 適用あり$$

(2) 特別控除額

① $0.067\cdots \geqq 5\%$　　∴　10％加算

② イ $\dfrac{4,710,000円 - 3,610,000円}{3,610,000円} = 0.304\cdots \geqq 10\%$

　　ロ $\dfrac{4,710,000円}{415,300,000円} = 0.011\cdots \geqq 0.05\%$　　∴　5％加算

③ $(415,300,000円 - 366,200,000円) \times 25\% = 12,275,000円$

(3) 税額基準額

$130,000,000円 \times 20\% = 26,000,000円$

(4) 特別控除額

(2) < (3)　　∴　12,275,000円

解答への道

当社は中小企業者等以外の青色申告法人に該当するため、次の算式により計算を行う。

なお、特定法人に該当する場合と該当しない場合では計算パターンが異なる。

＜特定法人に該当する場合＞（設問1）

(1) 判　定

$$\frac{継続雇用者給与等支給額 - 継続雇用者比較給与等支給額}{継続雇用者比較給与等支給額} \geqq 3\% \qquad \therefore \quad 適用あり$$

(2) 特別控除額

① 特定税額控除限度額　　控除対象雇用者給与等支給増加額×10％（注1～4）

② 税額基準額　　　　　調整前法人税額×20％

③ 特別控除額　　　　　①と②の少

（注1）次の要件を満たす場合には、15％を加算

　　　　(1)の割合 ≧ 4％

（注2）次の要件の**全て**を満たす場合には、5％を加算

① $\dfrac{教育訓練費 - 比較教育訓練費}{比較教育訓練費} \geqq 10\%$

② $\dfrac{教育訓練費}{雇用者給与等支給額} \geqq 0.05\%$

（注3）次の要件のいずれかに該当する場合には、5％を加算

① その事業年度終了の時において次世代育成支援対策推進法に規定する特例認定一般事業主に該当すること。

② その事業年度において女性の職業生活における活躍の推進に関する法律の認定を受けたこと。

③ その事業年度終了の時において女性の職業生活における活躍の推進に関する法律に規定する特例認定一般事業主に該当すること。

（注4）（注1）から（注3）は重複適用可

【用語の意義】

特定法人

常時使用する従業員の数が2,000人以下の法人をいう。なお、その法人及びその法人による支配関係がある他の法人の常時使用する従業員の数の合計数が10,000人を超えるものを除く。

＜特定法人に該当しない場合＞（設問2）

(1) 判　定

$$\frac{継続雇用者給与等支給額－継続雇用者比較給与等支給額}{継続雇用者比較給与等支給額} \geqq 3\%　　\therefore　適用あり$$

(2) 特別控除額

① 税額控除限度額　　控除対象雇用者給与等支給増加額×10％（注1～4）

② 税額基準額　　　　調整前法人税額×20％

③ 特別控除額　　　　①と②の少

（注1）次の要件を満たす場合には、それぞれの割合を加算

(1)の割合≧4％の場合…5％を加算

≧5％の場合…10％を加算

≧7％の場合…15％を加算

（注2）次の要件の全てを満たす場合には、5％を加算

① $\dfrac{教育訓練費－比較教育訓練費}{比較教育訓練費} \geqq 10\%$

② $\dfrac{教育訓練費}{雇用者給与等支給額} \geqq 0.05\%$

（注3）その事業年度終了の時において次に掲げる者のいずれかに該当する場合には、5％を加算

① 次世代育成支援対策推進法に規定する特例認定一般事業主

② 女性の職業生活における活躍の推進に関する法律に規定する特例認定一般事業主

（注4）（注1）から（注3）は重複適用可

次の資料により、当社の当期（令和7年4月1日〜令和8年3月31日）において法人税額から特別控除できる金額を算出しなさい。

なお、当社は、青色申告書を提出する資本金20,000,000円の中小企業者等である。

(1) 当期中に取得し、租税特別措置法第42条の6《中小企業者等が機械等を取得した場合の特別償却又は法人税額の特別控除》の適用対象となる特定機械装置等は、次のとおりである。

種　　類	取得価額	取得・事業供用日	定額法償却率
機械装置	3,000,000円	令和7年7月15日	0.125

(2) 当期の調整前法人税額は11,000,000円である。

解　答

(1) 税額控除限度額　　3,000,000円×7％＝210,000円

(2) 税額基準額　　　　11,000,000円×20％＝2,200,000円

(3) (1)＜(2)　　　∴　210,000円

解答への道

当社は青色申告書を提出する中小企業者等のうち資本金が30,000,000円以下であるため特定中小企業者等に該当し、特定機械装置の特別償却と特別控除の選択適用となる。ただし、本問においては問題文に「法人税額から特別控除できる金額を算出しなさい。」とあるので、特別控除の計算を行う。

| 問　題　7 | 特定経営力向上設備等の特別控除 | 重要度 | A |

　次の資料により、当社の当期（令和7年4月1日～令和8年3月31日）において法人税額から特別控除できる金額を算出しなさい。なお、当社は**青色申告書を提出する中小企業者等**で、**中小企業経営強化法の認定を受けたもの**であり、資本金は30,000,000円である。

(1)　当期中に取得し、租税特別措置法第42条の12の4の適用対象となる特定経営力向上設備等は次のとおりである。

種　類	取得価額	取得・事業供用日
機械装置	4,000,000円	令和7年6月15日

(2)　当期の調整前法人税額は4,260,000円とする。

解　答

(1)　税額控除限度額　　　4,000,000円×10％＝400,000円

(2)　税額基準額　　　　　4,260,000円×20％＝852,000円

(3)　(1)＜(2)　　　　∴　400,000円

解答への道

　当社の資本金の額が30,000,000円であるため、特定経営力向上設備等の特別控除額は取得価額の7％ではなく、10％となる。

特定同族会社の留保金課税

1 個別論点のチェック

項　　　　目	参照条文	問1	問2	問3
1．基本算式	法67	○	○	○
2．住民税額の計算	令139の10	○	○	○
3．期末利益積立金額	基通16－1－6	○	○	○
4．留保金額の端数計算	基通16－1－8	○	○	○
5．留保欄あり		○		

2 他項目との関連

　課税留保金額の計算は、まず所得金額の内容を①留保、②社外流出、③課税外収入に区分することからはじまるので、その区分をしっかり整理してほしい。また、数値的に正解を望むことが難しいので、その計算過程を反射的に書けるようになるまで練習しておくことが必要となる。

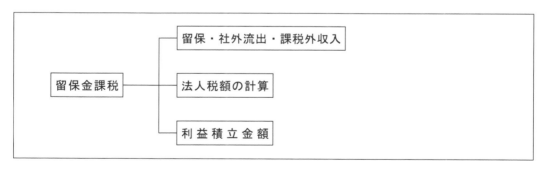

　次の資料により、青色申告法人である当社（平成7年設立）の当期（令和7年4月1日～令和8年3月31日）における課税留保金額に対する税額を計算しなさい。なお、当社は特定同族会社に該当する。

1．当期の別表4

区　　分	金　　額	留　　保
当期利益又は当期欠損の額	57,000,000円	37,000,000円
加算　損金経理納税充当金	37,000,000	37,000,000
損金経理法人税等	5,910,000	5,910,000
損金経理住民税	585,000	585,000
交際費等の損金不算入額	1,240,000	——
減価償却超過額	5,950,000	5,950,000
特別償却準備金積立超過額	40,000	40,000
役員給与の損金不算入額	1,600,000	——
前期未払交際費否認	340,000	340,000
未払寄附金否認	200,000	200,000
繰延資産償却超過額	135,000	135,000
小　　計	53,000,000	50,160,000
減算　納税充当金支出事業税等	1,267,000	1,267,000
収用等の所得の特別控除額	11,508,000	——
受取配当等の益金不算入額	393,000	——
特別償却準備金積立	1,300,000	1,300,000
減価償却超過額認容	280,000	280,000
有価証券過大計上	252,000	252,000
小　　計	15,000,000	3,099,000
仮　　計	95,000,000	84,061,000
寄附金の損金不算入額	248,000	——
法人税額控除所得税額	153,000	——
控除対象外国法人税額	99,000	——
合　　計	95,500,000	84,061,000
差　引　計	95,500,000	84,061,000

総　　　　計	95,500,000	84,061,000
所　得　金　額	95,500,000	84,061,000

2．資本金の額等

　　当期末資本金の額　　　　　300,000,000円（数年来異動はない）

　　当期末資本金等の額　　　　370,000,000円（数年来異動はない）

　　前期末利益積立金額　　　　 65,000,000円

3．配当に関する事項

（1）　当期中に行われた前期の株主総会の決議に係る配当は20,000,000円である。

（2）　翌期中に行われた当期の株主総会の決議に係る配当は25,000,000円である。

4．別表1に関する事項

（1）　試験研究費の特別控除額　　　　　　　　2,400,000円

（2）　控除所得税額　　　　　　　　　　　　　153,000円

（3）　控除外国税額　　　　　　　　　　　　　 99,000円

5．その他

　　留保金課税の計算で用いる地方法人税の額は、2,034,800円であるものとする。

解　答

1．税額計算

　　95,500,000円×23.2％＝22,156,000円

2．留保金課税

（1）当期留保金額

　　①　所得等の金額のうち留保した金額

　　　　84,061,000円＋20,000,000円－25,000,000円＝79,061,000円

　　②　法人税額

　　　　22,156,000円－2,400,000円－153,000円－99,000円＝19,504,000円

　　③　地方法人税額　　　2,034,800円

　　④　住民税額

　　　　（22,156,000円－99,000円）×10.4％＝2,293,928円

　　⑤　①－②－③－④＝55,228,272円

（2）留保控除額

　　①　所得基準額

　　　　（95,500,000円＋11,508,000円＋393,000円）×40％＝42,960,400円

② 定額基準額

$$20,000,000円 \times \frac{12}{12} = 20,000,000円 \qquad \therefore \quad 20,000,000円$$

③ 積立金基準額

$$300,000,000円 \times 25\% - (65,000,000円 - 20,000,000円) = 30,000,000円$$

④ ①～③のうち最大 　∴ 42,960,400円

(3) 課税留保金額

(1)－(2)＝12,267,872円 → 12,267,000円 （千円未満切捨）

(4) 税率区分 　12,267,000円 $\leqq$ 30,000,000円 $\times \dfrac{12}{12}$ 　∴ 　10%

(5) 特別税額

12,267,000円×10％＝1,226,700円

解答への道

1．留保欄が与えられた場合の所得等の金額のうち留保した金額は「別表4留保欄最終値＋前期未配当等の額－当期末配当等の額」により計算する。

2．住民税額の計算上、控除外国税額は当期分の法人税額から控除するが試験研究費の特別控除、控除所得税額は当期分の法人税額から控除しない。

　次の資料により、青色申告法人である当社（昭和62年設立）の当期（令和7年4月1日～令和8年3月31日）における課税留保金額に対する税額を計算しなさい。なお、当社は資本金5億円のX社による完全支配関係があり、かつ、X社は被支配会社であることから特定同族会社に該当する。

1．当期の別表4

区　　　　分		金　　　額
当 期 利 益 金		50,300,000円
加算	損 金 経 理 納 税 充 当 金	28,000,000
	損 金 経 理 法 人 税 等	5,000,000
	損 金 経 理 住 民 税	428,000
	損 金 経 理 附 帯 税 等	160,000
	一 括 貸 倒 引 当 金 否 認	2,450,000
	未 払 寄 附 金 否 認	400,000
	損 金 経 理 交 通 反 則 金	50,000
	減 価 償 却 超 過 額	5,280,450
	役 員 給 与 の 損 金 不 算 入 額	1,000,000
	前 期 仮 払 交 際 費 否 認	751,000
	交 際 費 等 の 損 金 不 算 入 額	2,150,000
	未 払 寄 附 金 否 認	15,000,000
小　　　計		60,669,450
減算	納 税 充 当 金 支 出 事 業 税 等	7,620,000
	仮 払 交 際 費 認 定 損	150,000
	前 期 未 払 寄 附 金 認 容	500,000
	法 人 税 等 の 還 付 金	1,650,000
	所 得 税 等 の 還 付 金	450,500
	受 取 配 当 等 の 益 金 不 算 入 額	3,592,000
	減 価 償 却 超 過 額 認 容	780,000
	収 用 等 の 特 別 控 除 額	10,000,000
小　　　計		24,742,500
仮　　　計		86,226,950

寄 附 金 の 損 金 不 算 入 額	260,000
法 人 税 額 控 除 所 得 税 額	915,840
合　　　　計	87,402,790
差　引　計	87,402,790
総　　　　計	87,402,790
所 得 金 額	87,402,790

2．期末資本金の額等

期末資本金の額　　　　　　　　100,000,000円（数年来異動はない）

期末資本金等の額　　　　　　　150,000,000円（数年来異動はない）

期首利益積立金額　　　　　　　16,000,000円

3．当期に係る株主総会の決議による配当は7,980,000円である。

なお、前期に係る株主総会の決議による配当は6,000,000円である。

4．別表1に関する事項

試験研究費の特別控除額　　　　　2,100,000円

5．その他

留保金課税の計算で用いる地方法人税の額は、1,872,200円であるものとする。

解　答

1．税額計算

87,402,000円×23.2％＝20,277,264円

2．留保金課税

(1) 当期留保金額

① 所得等の金額のうち留保した金額

87,402,790円＋（450,500円＋3,592,000円＋10,000,000円）－（7,980,000円

＋160,000円＋50,000円＋1,000,000円＋2,150,000円＋260,000円＋915,840円）

＝88,929,450円

② 法人税額　　　20,277,264円－2,100,000円－915,840円＝17,261,424円

③ 地方法人税額　　　1,872,200円

④ 住民税額　　　20,277,264円×10.4％＝2,108,835円

⑤ ①－②－③－④＝67,686,991円

(2) 留保控除額

   ① 所得基準額

     （87,402,790円＋450,500円＋3,592,000円＋10,000,000円）×40％＝40,578,116円

   ② 定額基準額　　　$20,000,000円 \times \dfrac{12}{12} = 20,000,000円$

   ③ 積立金基準額　　$100,000,000円 \times 25\% - (16,000,000円 - 6,000,000円)$

                 $= 15,000,000円$

   ④ ①〜③で最大　　∴　40,578,116円

(3) 課税留保金額　　　(1)－(2)＝27,108,875円　→　27,108,000円（千円未満切捨）

(4) 税率区分　　　　　$27,108,000円 \leqq 30,000,000円 \times \dfrac{12}{12}$　　　∴　10％

(5) 特別税額　　　　　27,108,000円×10％＝2,710,800円

解答への道

1．当社は期末資本金1億円以下であるが、資本金5億円以上の法人（以下「大法人」という。）による完全支配関係があり、その大法人が被支配会社であるため、特定同族会社に該当する。また、大法人による完全支配関係がある場合には、軽減税率（所得金額のうち、年800万円相当額は15％）の適用はない。

2．住民税額の計算上、試験研究費の特別控除及び控除所得税額は控除しないことに注意してほしい。（令139の10）

3．法人税等の還付金は減算・留保となるのに対し、所得税等の還付金は減算・課税外収入となる。（法67③五）

問 題 3 応用問題　　　　　　　　　　　　　　　重 要 度　A

  次の資料により、当社（平成5年設立）の当期（令和7年4月1日〜令和8年3月31日）における課税留保金額に対する税額を計算しなさい。なお、当社は特定同族会社に該当し、当社の株主はすべて個人である。

第30章　特定同族会社の留保金課税

1. 当期の別表4

区　　　　分		金　　額
当　期　利　益　金		35,000,000円
加算	損 金 経 理 納 税 充 当 金	18,000,000
	損 金 経 理 住 民 税	3,200,000
	損 金 経 理 附 帯 税 等	250,000
	役 員 給 与 の 損 金 不 算 入 額	1,000,000
	交 際 費 の 損 金 不 算 入 額	1,725,750
	使 途 秘 匿 金 否 認	500,000
	減 価 償 却 超 過 額	8,295,000
	貸 倒 損 失 否 認	2,812,000
	有 価 証 券 計 上 も れ	3,253,000
	小　　　計	39,035,750
減算	納 税 充 当 金 支 出 事 業 税 等	5,080,000
	法 人 税 等 の 還 付 金	1,100,000
	所 得 税 等 の 還 付 金	300,000
	受 取 配 当 等 の 益 金 不 算 入 額	6,950,000
	収 用 等 の 特 別 控 除 額	4,700,000
	未 払 事 業 税 認 定 損	1,980,500
	仮 払 寄 附 金 認 定 損	2,519,500
	小　　　計	22,630,000
仮　　　計		51,405,750
寄 附 金 の 損 金 不 算 入 額		800,000
法 人 税 額 控 除 所 得 税 額		590,000
合　　　計		52,795,750
差　引　計		52,795,750
欠 損 金 等 の 当 期 控 除 額		△ 450,000
総　　　計		52,345,750
所　得　金　額		52,345,750

2. 期末資本金の額等

期末資本金の額　　　　　　120,000,000円

期末資本金等の額　　　　　130,000,000円

3．当期の株主総会の決議に係る配当は5,000,000円、前期の株主総会の決議に係る配当は6,000,000円である。

4．前期末利益積立金額は40,000,000円である。

5．別表1に関する事項

(1) 試験研究費の特別控除額　　　　　　　　　3,300,000円

(2) 使途秘匿金に対する特別税額　　　　　　　200,000円

6．その他

留保金課税の計算で用いる地方法人税の額は、931,500円であるものとする。

解　答

1．税額計算

52,345,000円×23.2％＝12,144,040円

2．留保金課税

(1) 当期留保金額

① 所得等の金額のうち留保した金額

52,345,750円＋（300,000円＋6,950,000円＋4,700,000円＋450,000円）－（5,000,000円＋250,000円＋1,000,000円＋1,725,750円＋500,000円＋800,000円＋590,000円）

＝54,880,000円

② 法人税額

12,144,040円－3,300,000円＋200,000円－590,000円＝8,454,040円

③ 地方法人税額　　931,500円

④ 住民税額

（12,144,040円＋200,000円）×10.4％＝1,283,780円

⑤ ①－②－③－④＝44,210,680円

(2) 留保控除額

① 所得基準額

（52,345,750円＋300,000円＋6,950,000円＋4,700,000円＋450,000円）×40％

＝25,898,300円

② 定額基準額　　　　20,000,000円×$\frac{12}{12}$＝20,000,000円

③ 積立金基準額　　120,000,000円×25％－（40,000,000円－6,000,000円）＜0円　　∴　0円

④ ①～③で最大　　∴　25,898,300円

(3) 課税留保金額　　(1)－(2)＝18,312,380円　→　18,312,000円（千円未満切捨）

第30章

特定同族会社の留保金課税

(4) 税率区分　　　　　　　$18,312,000円 ≦ 30,000,000円 \times \dfrac{12}{12}$　　∴　10%

(5) 特別税額　　　　　　　$18,312,000円 \times 10\% = 1,831,200円$

解答への道

　積立金基準額がマイナスになるときは、ゼロとする。（法67⑤三）

　住民税額の計算上、試験研究費の特別控除額、控除所得税額は、当期分の法人税額から控除しない。また、使途秘匿金に対する特別税額は加算する。

第31章

所得税額控除

1 個別論点のチェック

項　　　目	参照条文	問1	問2	問3	問4
1．元　本　の　区　分	令140の2①	○	○	○	○
2．個　　別　　法	令140の2②	○	○	○	○
3．簡　　便　　法	令140の2③	○	○	○	○
4．月数の端数処理	令140の2⑥	○	○	○	○
5．短期保有株式等	令20			○	
6．原　価　の　算　出	法61の2			○	

2 他項目との関連

　過去多く出題されている最重要項目であり、必ず正解できるようにしっかり学習してほしい。所得税額控除の問題は、その性質上単独問題として出題されることはまれで、受取配当等の益金不算入額との複合問題として出題されることが多く、有価証券の帳簿価額の計算との組み合わせ問題として出題されることもある。この場合には、一の資料から必要な事項をいかに早く、正確に読み取るかがポイントとなる。

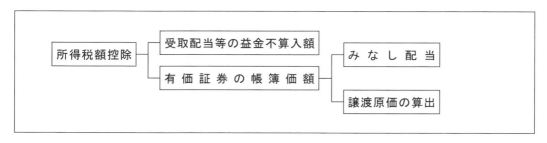

　個別法と簡便法　　　　　　　　　　　　　　　　　　　重 要 度　A

次の資料により、当社の当期（令和7年4月1日～令和8年3月31日）における税務上調整すべき金額を計算しなさい。

当期中に収受した配当等は次のとおりであり、差引手取額を雑収入に計上している。

区　　　　分	銘　柄　等	計 算 期 間	収 入 金 額	源 泉 徴 収所 得 税 額
			円	円
剰余金の配当	A　株　式	令 6.4.1～令 7.3.31	140,000	21,441
剰余金の分配	B 協同組合	令 6.4.1～令 7.3.31	200,000	40,840
収 益 分 配 金	C 証券投信	令 6.8.1～令 7.7.31	800,000	122,520
利　　　　子	銀 行 預 金		40,000	6,126

（注1）A株式はその全株を令和6年12月6日に取得したものである。

（注2）B協同組合出資はその全部を令和6年6月20日に取得したものである。

（注3）C証券投信は主として国内株式に投資する証券投資信託である。なお、その元本は令和6年4月12日に1,500口、令和7年6月15日に2,500口を取得したものでありその後譲渡したものはない。

（注4）上記株式等はいずれも非支配目的株式等に該当する。

（注5）所得税には復興特別所得税が含まれている。

解　答

1．受取配当等の益金不算入額

(1) 配当等の額

140,000円＋200,000円＝340,000円

(2) 益金不算入額　340,000円×20％＝68,000円　（減・課）

2．法人税額控除所得税額

(1) 株式出資

① 個別法　$21,441円 \times \dfrac{4}{12}(0.334) + 40,840円 \times \dfrac{10}{12}(0.834) = 41,221円$

② 簡便法　$21,441円 \times \dfrac{1}{2}(0.500) + 40,840円 \times \dfrac{1}{2}(0.500) = 31,140円$

③　①＞②　　∴　　41,221円

(2)　受益権

①　個別法　$122{,}520円 \times \dfrac{1{,}500口}{4{,}000口} + 122{,}520円 \times \dfrac{2{,}500口}{4{,}000口} \times \dfrac{2}{12}$ (0.167) ＝58,733円

②　簡便法　$122{,}520円 \times \dfrac{1{,}500口 + (4{,}000口 - 1{,}500口) \times \dfrac{1}{2}}{4{,}000口}$ (0.688) ＝84,293円

③　①＜②　　∴　　84,293円

(3)　その他　　6,126円

(4)　(1)＋(2)＋(3)＝131,640円（仮計と合計の間で加・流）

解答への道

1．株式出資の区分には、元本の所有期間に応じて税額控除されるＡ株式とＢ出資があるので、個別法と簡便法のいずれか有利な方を統一して選択する。一方、区分を異にする受益権は、新たに個別法と簡便法の有利な方を選択することができる。（令140の2①②③）

2．個別法、簡便法ともに、小数点3位未満切上の端数処理は必ず計算過程に明示する必要がある。

3．Ａ株式の異動状況

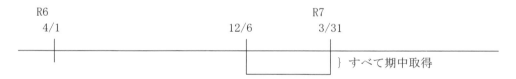

※1　発行法人の計算期間における異動状況を把握する。

※2　すべての元本が期中取得ならば、簡便法は分数式をたてるまでもなく必ず$\dfrac{1}{2}$ (0.500)となる。

$$\dfrac{0株 + (X株 - 0株) \times \dfrac{1}{2}}{X株} = 0.500$$

4．Ｂ出資の異動状況

※　個別法における月数は、1月未満の端数を切り上げる。（令140の2⑥）

5．C証券投信の異動状況

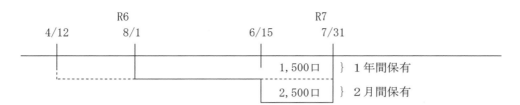

6．預金利子に係る源泉所得税額は、あん分計算は不要でその全額が税額控除される。

（令140の2①二）

問 題 2　中間配当　　　　　　　　重要度 A

　次の資料により、当社の当期（令和7年4月1日～令和8年3月31日）における税務上調整すべき金額を計算しなさい。

1．当期において受け取った配当等は次のとおりであり、差引手取額を雑収入に計上している。

区　分	銘柄等	取得年月日	計算期間	収入金額	源泉徴収税額
期末配当	A 株 式	令6.12.6	令 6.10.1～ 令 7.3.31	円 175,000	円 35,735
中間配当	同　　上	同　　上	令 7.4.1～ 令 7.9.30	105,000	21,441
期末配当	B 株 式	下記3.参照	令 6.4.1～ 令 7.3.31	42,000	8,576
事業分量 分 配 金	C 農 業 協同組合	平25.11.11	令 6.4.1～ 令 7.3.31	100,000	——
預金利子	D 銀 行	——	——	50,000	7,657

（注）源泉徴収税額には復興特別所得税が含まれている。

2．A株式の発行法人であるA株式会社は、会社法第454条の規定により中間配当をできる旨を定款で定め、その基準日を毎年9月30日と定めている。なお、期末配当は、定時株主総会の決議による配当であり、その基準日を毎年3月31日としている。A株式は、令和6年12月6日に10,000株を取得し、その後は異動していない。

3．B株式の期末配当は定時株主総会の決議による配当であり、その基準日を毎年3月31日としている。B株式は令和6年9月14日に10,000株、令和7年3月3日に10,000株を取得し、令和7年6月16日に8,000株を譲渡している。なお、譲渡原価の計上は適正に行われている。

4．表中の株式等はすべて非支配目的株式等に該当する。

解　答

1．受取配当等の益金不算入額

（1）配当等の額

175,000円＋105,000円＋42,000円＝322,000円

（2）益金不算入額　322,000円×20％＝64,400円（減・課）

2．法人税額控除所得税額

（1）株式出資

①　個別法

A株式　　$35,735円×\dfrac{4}{6}（0.667）+21,441円　　=45,276円$

B株式　　$8,576円×\dfrac{10,000株}{20,000株}×\dfrac{7}{12}（0.584）$

$+8,576円×\dfrac{10,000株}{20,000株}×\dfrac{1}{12}（0.084）=　2,864円$

計　48,140円

②　簡便法

A株式　　$35,735円×\dfrac{1}{2}（0.500）+21,441円＝39,308円$

B株式　　$8,576円×\dfrac{1}{2}（0.500）　　　　=　4,288円$

計　　43,596円

③　①＞②　　∴　　48,140円

（2）その他　　　　　7,657円

（3）（1）＋（2）＝55,797円（仮計と合計との間で加・流）

解答への道

1．A株式の計算期間は次のようになる。（令140の2②）

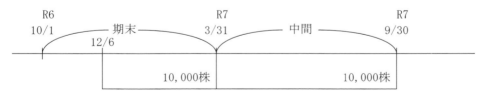

2．B株式の計算期間は次のようになる。

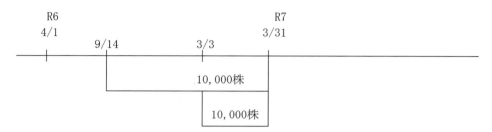

3．B株式の令和7年6月16日の譲渡分は所得税額控除の計算には影響しない。あくまでも計算期間の末日までの異動状況が問題となる。

問　題　3　　短期保有株式等　　重要度　B

次の資料により、当社の当期（令和7年4月1日～令和8年3月31日）における税務上調整すべき金額を計算しなさい。

1．当期に係る配当等の内訳は次のとおりであり、税引後の差引手取額を雑収入に計上している。

銘柄等	計算期間	配当等の額	源泉徴収税額	取得年月日 期末帳簿価額
A 株 式 （ 中 間 配 当 ）	令 7.4.1～ 令 7.9.30	600,000円	91,890円	（注）2参照
B 証 券 投 資 信 託 （収益分配金）	令 6.11.1～ 令 7.10.31	680,000円	138,856円	令 7.8.18 12,000,000円
C 公 社 債 投 資 信 託 （収益分配金）	令 6.12.21～ 令 7.12.20	700,000円	107,205円	令 7.2.23 5,000,000円
D 社 債 （ 利 子 ）	令 6.6.1～ 令 7.5.31	1,025,000円	156,978円	令 6.11.11 20,500,000円

（注1）A株式の発行法人であるA社は、会社法第454条の規定により中間配当をできる旨を定款で定め、その基準日を毎年9月30日と定めている。なお、A株式の異動状況は次のとおりである。また、A社の発行済株式総数は100,000株である。

日　　付	取　　得	売　　却	所有株数	帳簿価額
令和7年4月1日	一株	一株	20,000株	10,000,000円
9月12日	―	2,000	18,000	9,000,000
9月26日	12,000	―	30,000	13,680,000
10月7日	5,000	―	35,000	16,030,000
11月19日	―	7,000	28,000	12,530,000

（注2）B証券投資信託は主として内国法人株式に対して投資されるものであり、特定株式投資信託には該当しない。

（注3）源泉徴収税額には復興特別所得税が含まれている。

2．当期中に譲渡したA株式はいずれも4月1日現在保有していた株式であると判断し、9月12日において1,000,000円、11月19日において3,500,000円の譲渡原価を計上している。

3．当社は有価証券の帳簿価額の算出方法として移動平均法を選定し届け出ている。

解　答

1．有価証券

(1) 1株当たりの帳簿価額

① 9月譲渡分

$$10,000,000円 \div 20,000株 = 500円$$

② 11月譲渡分

$$\frac{9,000,000円 + (13,680,000円 - 9,000,000円) + (16,030,000円 - 13,680,000円)}{18,000株 + 12,000株 + 5,000株} = 458円$$

(2) 譲渡原価

① 会計上　　1,000,000円 + 3,500,000円 = 4,500,000円

② 税務上　　500円 × 2,000株 + 458円 × 7,000株 = 4,206,000円

③ ① − ② = 294,000円　　有価証券譲渡原価過大計上（加・留）

2．受取配当等の益金不算入額

(1) 配当等の額（その他株式等）

600,000円 − 45,000円 = 555,000円

*

*　短期保有株式等

イ．$7,000株 \times \dfrac{12,000株}{20,000株 + 12,000株} \times \dfrac{30,000株}{30,000株 + 5,000株} = 2,250株$

ロ．$600,000円 \times \dfrac{2,250株}{30,000株} = 45,000円$

(2) 益金不算入額

555,000円 × 50% = 277,500円（減・課）

3．法人税額控除所得税額

(1) 株式出資（所有期間から簡便法有利）

$$91,890円 \times \frac{20,000株 + (30,000株 - 20,000株) \times \frac{1}{2}}{30,000株}(0.834) = 76,636円$$

(2) 受益権（所有期間から簡便法有利）

$$138,856円 \times \frac{1}{2}(0.500) = 69,428円$$

(3) その他

$$107,205円 + 156,978円 = 264,183円$$

(4) (1) + (2) + (3) = 410,247円（仮計と合計の間で加・流）

解答への道

1．A株式の期中取得分は基準日直前に取得しているので、期央で取得したと仮定して計算する簡便法が明らかに有利である。

2．受益権の区分にはB投信しかなく、計算期間中3月のみしか保有していないため、簡便法が明らかに有利である。

3．公社債投資信託及び公社債はその他の区分に該当し、月数按分は行わない。

4．A株式は計算期間の末日において発行済株式総数の30％を保有しているため、その他株式等に該当する。

問 題 4　複合問題　　　　　　　　　　　　重要度 A

次の資料により、当社の当期（令和7年4月1日～令和8年3月31日）における税務上調整すべき金額を計算しなさい。

当期において収益に計上した配当等の金額の明細は、次のとおりである。

内　　　容	銘　柄　等	計算期間	配当等の額 （税　込）	源泉徴収税額	元本の異動状況
剰余金の配当	A　株　式	令 6.3.1～ 令 7.2.28	175,000円	35,735円	令 5.4.24に取得
剰余金の配当	B　株　式	令 7.1.1～ 令 7.12.31	350,000円	71,470円	令 7.5.10に取得
剰余金の配当	C　株　式	令 6.10.1 ～ 令 7.9.30	297,500円	60,749円	令 6.8.10に35,000株、 令 7.7.15に15,000株を取得
収益分配金	Dオープン型 証券投資信託	令 6.5.1～ 令 7.4.30	1,000,000円	153,150円	令 6.5.1現在31,000口保有 令 6.10.2に1,000口譲渡
預金利子	E　銀　行	————	230,000円	35,224円	

（注1）源泉徴収税額には、復興特別所得税が含まれている。

（注2）Dオープン型証券投資信託は、特定株式投資信託に該当するものではない。

（注3）当社の保有する株式等はすべて非支配目的株式等に該当する。

（注4）収益に計上した配当等について源泉徴収された金額は費用として経理した。また、譲渡原価の計上は適正に行われている。

解 答

Ⅰ．受取配当等の益金不算入額

(1) 配当等の額

175,000円＋350,000円＋297,500円＝822,500円

(2) 益金不算入額　　822,500円×20％＝164,500円（減・課）

Ⅱ．法人税額控除所得税額

(1) 株式出資

① 個別法

A株式　　　　　　　　　　　　　　　　　　　　　　　　　　35,735円

B株式　　$71,470円 \times \dfrac{8}{12}$ (0.667)　　　　　　　　　＝　47,670円

C株式　　$60,749円 \times \dfrac{35,000株}{50,000株} + 60,749円 \times \dfrac{15,000株}{50,000株} \times \dfrac{3}{12}$ (0.250) ＝　47,080円

　　　　　　　　　　　　　　　　　　　　　　　　　　　　——————

　　　　　　　　　　　　　　　　　　　　　　　　　　　　130,485円

② 簡便法

A株式　　　　　　　　　　　　　　　　　　　　　　　　　　　　　　　　　　　　　35,735円

B株式　　71,470円×$\dfrac{1}{2}$ (0.500)　　　　　　　　　　　　　　　　　　　＝　35,735円

C株式　　60,749円×$\dfrac{35,000株＋(50,000株－35,000株)×\dfrac{1}{2}}{50,000株}$ (0.850)　　＝　51,636円

　　　　　　　　　　　　　　　　　　　　　　　　　　　　　　　　　　　123,106円

③　①＞②　　　∴　130,485円

(2) 受益権

153,150円

(3) その他

35,224円

(4) (1)＋(2)＋(3)＝318,859円

解答への道

　所得税額控除の個別法と簡便法の有利選択については、元本を株式出資、受益権、その他に区分して、同一区分に統一適用する。

（令140の2③）

第32章

外国税額控除

1 個別論点のチェック

項　　　目	参照条文	問1	問2
1．別表1（税額控除）	法69①、令142～142の2	○	○
2．別表4（損金不算入）	法41	○	○
3．控除限度額の繰越	法69②		○

2 他項目との関連

　海外との取引が増加していることから、最近注目を浴びている項目である。レベル的にはかなり高いものも多いが、基本的な内容をしっかり押えておく必要がある。また、外国税額控除の問題は、その性質上単独問題として出題されることは少なく、外貨建資産等、受取配当等などと組合せられることが多い。したがって、資料の中から複雑な課税関係を正確に読み取ることを練習してほしい。

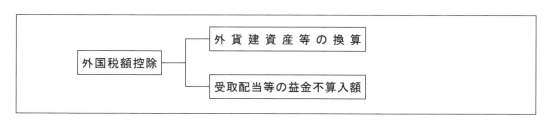

次の資料により、当社の当期（令和7年4月1日～令和8年3月31日）における税務上調整すべき金額を計算しなさい。

1．令和7年8月10日に取得したA株式の発行法人であるA株式会社は外国法人である。当社は、同社の令和7年1月1日から令和7年12月31日までの事業年度に係る配当金2,500,000円を収受しており、源泉徴収された外国税額250,000円を控除した手取額2,250,000円を収益に計上している。なお、株式の保有割合は3％である。

2．当社が保有していた商標権をX国に所在するB社に譲渡しており、その譲渡対価として、3,000,000円の支払を受けており、譲渡対価に対してX国で徴収された外国税額450,000円を控除した手取額 2,550,000円を収益に計上している。なお、譲渡した商標権の簿価800,000円及び譲渡経費 50,000円は費用に計上している。

3．当期の所得金額は78,600,000円とし、特別控除後の法人税額は17,579,200円とする。

解 答

1．控除対象外国法人税額　（別表4仮計と合計の間で加・流）

(1) 配　当　　2,500,000円×35％＞250,000円　　∴　　250,000円

(2) 商標権　　3,000,000円×35％＞450,000円　　∴　　450,000円

(3) (1)＋(2)＝700,000円

2．控除外国税額　（別表1の税額控除）

(1) 控除対象外国法人税額　　　700,000円

(2) 控除限度額　　$17,579,200円×\dfrac{\overset{*}{4,650,000円}}{78,600,000円}＝1,039,990円$

　　　＊①　2,250,000円＋（2,550,000円－800,000円－50,000円）＋700,000円＝4,650,000円

　　　　②　78,600,000円×90％＝70,740,000円

　　　　③　①＜②　　　∴　　4,650,000円

(3) 控除額　　（1）＜（2）　　　∴　　700,000円

解答への道

1．外国配当は、受取配当等の益金不算入の対象とならない。（法23①）

2．外国税額控除には所有期間の按分計算はない。

3．控除対象となる外国法人税の額は所得に対する負担が高率な部分の金額（課税標準の35％を超える金額）を除外した金額であるから、納付した外国法人税額と課税標準の35％相当額のいずれ

か少ない金額が控除対象外国法人税の額となる。（法69①、 令142の２①）

4．控除限度額の計算の基礎となる国外所得金額は、外国配当（手取額）、商標権に係る譲渡益の合計額に控除対象外国法人税額を加算した金額となる。（法69①、令142③）

5．国外所得金額は、当期の所得金額（分母）の 100分の90相当額を限度とする。（令142③）

問 題 2　控除限度額の繰越　　重要度 C

次の資料により、当社の当期（令和７年４月１日～令和８年３月31日）における税務上調整すべき金額を計算しなさい。

(1) 当社は外国に有していた土地（帳簿価額1,600,000円）を時価相当額の13,000,000円で外国法人Ｙ社に譲渡し、11,400,000円を土地売却益として収益に計上している。

(2) (1)の取引につき譲渡対価の13,000,000円に対して外国法人税4,200,000円が課され、当社はこれを租税公課勘定に計上した。なお、このほかに、当期の国外所得に対する販売費及び一般管理費が1,000,000円ある。

(3) 当期の所得金額（差引計）は130,000,000円、特別控除後の法人税額は30,160,000円であるものとし、法人税法第69条第２項に規定する繰越控除限度額（前期に生じたもの）は3,000,000円である。

解 答

1．控除対象外国法人税額（別表４）

4,200,000円＜13,000,000円×35%　　∴　4,200,000円（加・流）

2．控除外国税額（別表１）

(1) 控除対象外国法人税額　4,200,000円

(2) 控除限度額

$$30,160,000円 \times \frac{\overset{*}{10,400,000円}}{130,000,000円} + 3,000,000円 = 5,412,800円$$

＊　国外所得金額

① 13,000,000円－1,600,000円－4,200,000円－1,000,000円＋4,200,000円

　＝10,400,000円

② 130,000,000円×90%＝117,000,000円

③ ①＜②　　∴　10,400,000円

(3) (1)＜(2)　　∴　4,200,000円（別表１で控除）

1．控除対象となる外国法人税の額は所得に対する負担が高率な部分の金額（課税標準の35％を超える金額）を除外した金額であるから、納付した外国法人税額と課税標準の35％相当額のいずれか少ない金額が控除対象外国法人税の額となる。（法69①、令142の2①）

2．別表1の控除限度額は、繰越控除限度額3,000,000円を加算した金額となる。（法69②）

第33章

移転価格税制

1 個別論点のチェック

項　　　　　目	参照条文	問1	問2
1．低　　額　　譲　　渡	措法66の4①②④	○	
2．高　　価　　買　　入　　れ	措法66の4①④		○
3．国外関連者に対する寄附金	措法66の4③	○	

2 他項目との関連

　理論の重要度の方が高いが、基本的取扱い（特に寄附金との差異）に慣れておく必要があるだろう。

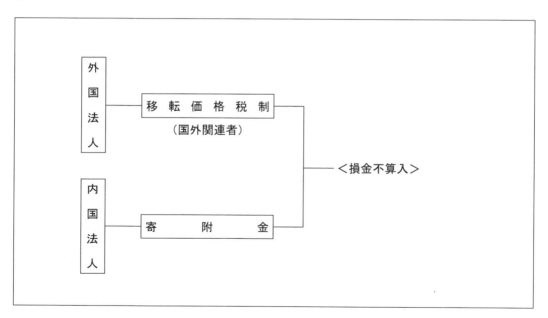

次の各設問について内国法人である当社の当期（令和7年4月1日〜令和8年3月31日）において税務上調整すべき金額を計算しなさい。

（設問1）

子会社X社は、当社がその発行済株式総数の60％を有する外国法人であるが、帳簿価額4,000,000円の特許権（他から購入したもの）を対外支払手段により10,000,000円で譲渡した。なお、この特許権を特殊関係のない第三者に譲渡した場合には19,000,000円の売却価額になると認められる。

（設問2）

当期に外国法人M社（その発行済株式の80％を当社が所有している。）に対し、売上原価5,500,000円の棚卸資産を8,000,000円で売却し、売却価額と売上原価との差額を収益に計上している。なお、M社が非関連者に販売した対価の額は26,000,000円であり、M社の通常利潤の額は2,400,000円である。

（設問3）

A社（非関連者）から5,250,000円で仕入れた商品を外国法人B社（発行済株式の50％を当社が所有）に対し6,000,000円で売却した。当社の通常利潤の額の売上原価に対する割合は30％である。

（設問4）

当期に当社がその発行済株式総数の50％を所有する外国法人Y社に対して3,000,000円の金銭を贈与し、寄附金として当期の費用に計上している。

解 答

（設問1）独立価格比準法

　　　　19,000,000円－10,000,000円＝9,000,000円　移転価格否認（加・流）

（設問2）再販売価格基準法

　　　　(1)　26,000,000円－2,400,000円＝23,600,000円

　　　　(2)　23,600,000円－8,000,000円＝15,600,000円　移転価格否認（加・流）

（設問3）原価基準法

　　　　(1)　5,250,000円×（1＋0.3）＝6,825,000円

　　　　(2)　6,825,000円－6,000,000円＝825,000円　移転価格否認（加・流）

（設問4）金銭の贈与

　　　　3,000,000円　寄附金の損金不算入（加・流）

1. 再販売価格基準法の場合の独立企業間価格は、M社が非関連者に売却した価額からM社の通常利潤の額を控除して計算する。（措法66の4②一ロ）

2. 原価基準法の場合の独立企業間価格は、国外関連取引に係る売手（当社）の原価の額に通常利潤の額を加算した額とする。（措法66の4②一ハ）

3. 国外関連者に対する寄附金はその全額が損金不算入とされる。（措法66の4③）

第33章

移転価格税制

次の資料により、当社の当期（令和7年4月1日～令和8年3月31日）における税務上調整すべき金額を計算しなさい。

1．当社（資本金2億円）は、令和8年1月24日に国外関連者から独立企業間価格30,000,000円の機械装置を42,000,000円で購入し、同日より事業の用に供した。

2．上記設備については、その購入価額をもって取得価額に計上し、定率法（耐用年数10年、償却率0.200、改定償却率0.250、保証率0.06552）により減価償却費13,000,000円を計上している。

解　答

1．取得価額過大計上

42,000,000円 － 30,000,000円 ＝ 12,000,000円 （減・留）

2．移転価格否認

12,000,000円 （加・流）

3．減価償却超過額

(1) 償却限度額

① 30,000,000円 × 0.200 ＝ 6,000,000円

② 30,000,000円 × 0.06552 ＝ 1,965,600円

③ ①≧② 　　∴　6,000,000円

④ 6,000,000円 × $\dfrac{3}{12}$ ＝ 1,500,000円

(2) 償却超過額

13,000,000円 － 1,500,000円 ＝ 11,500,000円

解答への道

高価買入れの場合の独立企業間価格と対価との差額については取得価額から控除する。

第34章

過少資本税制

1 個別論点のチェック

項　　　目	参照条文	問1	問2
1．損金不算入額	措法66の5①	○	○
2．適用の有無の判定	措法66の5①		○

2 他項目との関連

　平成4年度に創設された規定であり、基本的な取扱いは押さえておく必要がある。

　また、過少資本税制、過大支払利子税制双方の規定で損金不算入額が計算される場合には、原則的にその損金不算入額が大きい方の制度が適用されることとなる。

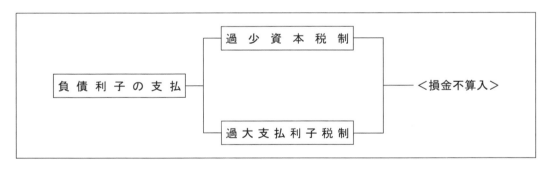

次の資料により、当期（令和７年４月１日～令和８年３月31日）における負債利子損金不算
入額を計算しなさい。なお、下記以外については考慮不要とする。

１．当社の発行済株式は、その80％が外国に本店を有するＸ社（国外支配株主等に該当する。）
に保有されており、当社はＸ社に対する当期分の借入金の利子15,000,000円を費用に計上し
ている。

２．Ｘ社に対する利付負債に係る平均負債残高は600,000,000円、当社の自己資本の額は
100,000,000円である。

解 答

負債利子損金不算入額

$$15,000,000円 \times \frac{600,000,000円 - 100,000,000円 \times 80\% \times 3}{600,000,000円} = 9,000,000円（加・流）$$

解答への道

内国法人が各事業年度において、国外支配株主等に負債利子を支払う場合には、次の算式で計算
した金額（資金供与者等に対する負債がない場合）は損金不算入となる。

（措法66の５①）

$$\text{その事業年度において国外} \atop \text{支配株主等に支払う負債利子} \times \frac{（A）- 国外支配株主等の資本持分 \times 3}{国外支配株主等に対する負債の平均負債残高（A）}$$

　次の資料により、当期（令和7年4月1日～令和8年3月31日）における負債利子損金不算
入額を計算しなさい。

1．当社の発行済株式は、その60%が外国に本店を有するY社（国外支配株主等に該当する。）
　に保有されており、当期におけるY社に対する利付負債に係る平均負債残高は800,000,000
　円であり、Y社に対する借入金の利子64,000,000円を費用に計上している。

2．当社の当期における総資産の帳簿価額等の平均残高は次のとおりである。

　（1）　総資産の帳簿価額等の平均残高　　　　　　1,560,000,000円

　（2）　総負債の帳簿価額等の平均残高　　　　　　1,352,000,000円

　（3）　総利付負債の平均残高　　　　　　　　　　1,179,000,000円

3．当社の当期末における資本金等の額は　180,000,000円である。

解　答

（1）自己資本の額

　①　純資産の額　　　1,560,000,000円－1,352,000,000円＝208,000,000円

　②　資本金等の額　　180,000,000円

　③　①＞②　　∴　208,000,000円

（2）判　定

　①　800,000,000円－208,000,000円×60%× 3 ＝425,600,000円＞ 0 円

　②　1,179,000,000円－208,000,000円× 3 ＝555,000,000円＞ 0 円　　　∴　適用あり

（3）平均負債残高超過額

　　（2）①＜（2）②　　∴　425,600,000円

（4）損金不算入額

$$64,000,000円 \times \frac{425,600,000円}{800,000,000円} = 34,048,000円 \quad （加・流）$$

解答への道

1．国外支配株主等の資本持分は、純資産の額と期末資本金等の額のいずれか多い金額に、国外支
　配株主等の直接及び間接の保有割合を乗じた金額となる。（措令39の13⑳㉑㉓）

2．この規定は、その事業年度の総利付負債に係る平均負債残高が自己資本の額の3倍以下の場合
　には適用されない。（措法66の5①）

MEMO

第35章

過大支払利子税制

1 個別論点のチェック

項　　　目	参照条文	問1
1．適用要件	措法66の5の2①	○
2．損金不算入額	措法66の5の2①	○

2 他項目との関連

　過少資本税制と同様に、基本的な取扱いは押さえておく必要がある。

　また、過少資本税制、過大支払利子税制双方の規定で損金不算入額が計算される場合には、原則的にその損金不算入額が大きい方の制度が適用されることとなる。

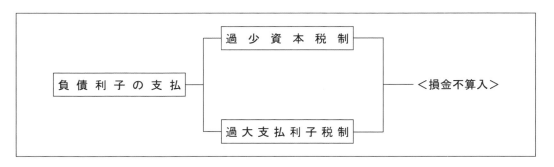

　次の資料により、当期（令和7年4月1日〜令和8年3月31日）における対象純支払利子等の損金不算入額を計算しなさい。なお、下記以外については考慮不要とする。

1．当社の発行済株式は、その80％が外国に本店を有するX社に保有されている。

2．当社の当期の支払利子の額は50,000,000円で、そのうちX社に対する借入金の利子は40,000,000円であり、当期の費用に計上している。

3．当社の当期の受取利子等の額は5,000,000円である。

4．当社の当期の調整所得金額の計算上必要とされる所得の金額は24,000,000円であり、また、調整所得金額の計算上加算される減価償却費の金額は6,000,000円である。

5．X社は日本において事業を行っていないことから国内源泉所得はなく、また、当社は過少資本税制の適用対象とされる法人ではないことから、いわゆる過大支払利子税制の適用を受ける法人に該当する。

解 答

対象純支払利子等の損金不算入額

(1) 対象純支払利子等の額

$$40,000,000円 - 5,000,000円 \times \frac{40,000,000円}{50,000,000円} = 36,000,000円$$

(2) 調整所得金額

$$24,000,000円 + 6,000,000円 + 36,000,000円 = 66,000,000円$$

(3) 損金不算入額

$$36,000,000円 - 66,000,000円 \times 20\% = 22,800,000円 \quad （加・流）$$

解答への道

1．過大支払利子税制については、まず、対象純支払利子等の額及び調整所得金額を算出する。

２．計算パターンは次のとおりである。

(1) 対象純支払利子等の額

$$\text{対象支払利子等の額の合計額} - \text{受取利子等の額の合計額} \times \frac{\text{対象支払利子等の額の合計額}}{\text{支払利子等の額の合計額}}$$

(2) 調整所得金額

一定の所得金額＋減価償却費の損金算入額＋貸倒損失の損金算入額＋(1)

(3) 損金不算入額

(1)－(2)×20％＝対象純支払利子等の損金不算入額（加・流）

MEMO

第36章

別表5（一）のⅠ、別表5（一）のⅡ及び別表5（二）

1 個別論点のチェック

項　　目	参照条文	問1	問2	問3	問4
1．別表5（一）のⅠ		○	○		○
2．別表5（一）のⅡ				○	○
3．別表5（二）			○		

2 他項目との関連

別表5（一）のⅠ、別表5（一）のⅡ及び別表5（二）の相互の関係をしっかり押さえてほしい。

（注）事業税について、特別法人事業税に関しては考慮する必要はない。

　次の資料により、当社の当期（令和7年4月1日〜令和8年3月31日）における別表4、別表1及び別表5（一）の I を完成しなさい。なお、当社は製造業を営む期末資本金1億円（株主はすべて個人である。）の非同族会社である青色申告法人である。

1．株主資本等変動計算書の一部（単位：千円）

区　　分	…	利益準備金	別途積立金	特別償却準備金	圧縮積立金	繰越利益剰余金	利益剰余金合計
				株主資本			
				利益剰余金			
			その他利益剰余金				
当期首残高	…	8,000	52,000	3,500	0	60,000	123,500
当期変動額							
：							
剰余金の配当		1,500				△16,500	△15,000
圧縮積立金の積立て					15,000	△15,000	―
特別償却準備金の取崩し				△500		500	―
別途積立金の積立て			27,500			△27,500	―
当期純利益						59,500	59,500
：							
当期変動額合計		1,500	27,500	△500	15,000	1,000	44,500
当期末残高	…	9,500	79,500	3,000	15,000	61,000	168,000

2．配当に関する事項

　(1)　当期において行われた前期（令和6年4月1日〜令和7年3月31日）確定配当の金額は15,000,000円である。

　(2)　翌期において行われた当期確定配当の金額は20,000,000円である。

3．期末における資本構成

　　期 末 資 本 金　　100,000,000円

　　期末資本金等の額　　110,000,000円

４．租税公課に関する事項

（1）納税充当金に関する事項

区　　　分	期首現在額	当期減少額	当期増加額	期末現在額
法　人　税　等	29,976,000円	29,976,000円		
住　　民　　税	1,902,000	1,902,000		
事　　業　　税	10,044,000	10,044,000		
合　　　　計	41,922,000円	41,922,000円	49,055,500円	49,055,500円

（注）期首現在額及び当期増加額は、それぞれ前期及び当期において前期分及び当期分の法人税等に係る税額として損金経理により引き当てた金額であり、当期減少額は前期分確定申告に係る各税の本税納付のため取り崩したものである。なお、法人税等には地方法人税が含まれている。以下同じ。

（2）当期において損金経理した租税公課には次のものが含まれている。

   ①　当期分中間法人税額　　　　　　　　　　　　　15,442,000円

                       （うち地方法人税1,442,000円）

   ②　当期分中間住民税額　　　　　　　　　　　　　997,000円

   ③　当期分中間事業税額　　　　　　　　　　　　　5,022,000円

   ④　預金利子・配当等に係る源泉徴収所得税額　　　1,590,000円

     （復興特別所得税含む）

   ⑤　源泉徴収所得税不納付加算税額　　　　　　　　250,000円

５．別表１に関する事項

  試験研究費の特別控除額　　　　　　　　　　　　2,853,250円

６．その他

  納付すべき地方法人税の額は690,900円であるものとする。

（答案用紙）

1．別表4

区　　　分	総　　額 ①	留　　保 ②
当　期　利　益　金	59,500,000円	円
加算　特 別 償 却 準 備 金 取 崩	500,000	
土 地 圧 縮 積 立 金 積 立 超 過 額	1,100,000	
損 金 経 理 納 税 充 当 金	49,055,500	
損 金 経 理 法 人 税 等	15,442,000	
損 金 経 理 住 民 税	997,000	
損 金 経 理 附 帯 税 等	250,000	
役 員 給 与 の 損 金 不 算 入 額	1,000,000	
交 際 費 等 の 損 金 不 算 入 額	3,225,750	
減 価 償 却 超 過 額	1,295,000	
前 期 仮 払 交 際 費 否 認	340,000	
一 括 貸 倒 引 当 金 繰 入 超 過 額	3,465,000	
小　　　　　計	76,670,250	
減算　土 地 圧 縮 積 立 金 積 立	15,000,000	
納 税 充 当 金 支 出 事 業 税 等	10,044,000	
一 括 貸 倒 引 当 金 繰 入 超 過 額 認 容	1,100,000	
仮 払 寄 附 金 認 定 損	300,000	
受 取 配 当 等 の 益 金 不 算 入 額	2,950,000	
収 用 等 の 所 得 の 特 別 控 除 額	2,700,000	
前 期 未 払 寄 附 金 認 容	1,980,500	
小　　　　　計	34,074,500	
仮　　　　　　　　計	102,095,750	
寄 附 金 の 損 金 不 算 入 額	700,000	
法 人 税 額 控 除 所 得 税 額	1,590,000	
合 計 ・ 差 引 計 ・ 総 計	104,385,750	
所　　得　　金　　額	104,385,750	

2．別表1

区　　　　　分	税率	金　　　額
所　得　金　額	％	104,385,750円
法人税額の計算　(1)　年800万円相当額		
(2)　年800万円超過額 （千円未満切捨）		
法　人　税　額		
法　人　税　額　計		
差引所得に対する法人税額 （百円未満切捨）		
差引確定法人税額		

3．別表5（一）のⅠ

区　　　分	期　首　現　在 利益積立金額 ①	当　期　の　増　減 減 ②	当　期　の　増　減 増 ③	差引翌期首現在 利益積立金額 ①−②+③ ④
利 益 準 備 金	8,000,000円	円	円	円
別 途 積 立 金	52,000,000			
特 別 償 却 準 備 金	3,500,000			
特別償却準備金積立	△ 3,500,000			
減 価 償 却 超 過 額	600,000			
仮 払 交 際 費	△ 340,000			
一 括 貸 倒 引 当 金	1,100,000			
未 払 寄 附 金	1,980,500			
繰 越 損 益 金	60,000,000			
納 税 充 当 金	41,922,000			
未納法人税等 未納法人税及び未納地方法人税	△ 29,976,000	△	中間 △ / 確定 △	△
未納法人税等 未 納 住 民 税	△ 1,902,000	△	中間 △ / 確定	
差 引 合 計 額	133,384,500			

解　答

1．別表4

区　　　分	総　額 ①	留　保 ②
当　期　利　益　金	59,500,000円	44,500,000円
加　算　特　別　償　却　準　備　金　取　崩	500,000	500,000
土　地　圧　縮　積　立　金　積　立　超　過　額	1,100,000	1,100,000
損　金　経　理　納　税　充　当　金	49,055,500	49,055,500
損　金　経　理　法　人　税　等	15,442,000	15,442,000
損　金　経　理　住　民　税	997,000	997,000
損　金　経　理　附　帯　税　等	250,000	
役　員　給　与　の　損　金　不　算　入　額	1,000,000	
交　際　費　等　の　損　金　不　算　入　額	3,225,750	
減　価　償　却　超　過　額	1,295,000	1,295,000
前　期　仮　払　交　際　費　否　認	340,000	340,000
一　括　貸　倒　引　当　金　繰　入　超　過　額	3,465,000	3,465,000
小　　　計	76,670,250	72,194,500
減　算　土　地　圧　縮　積　立　金　積　立	15,000,000	15,000,000
納　税　充　当　金　支　出　事　業　税　等	10,044,000	10,044,000
一括貸倒引当金繰入超過額認容	1,100,000	1,100,000
仮　払　寄　附　金　認　定　損	300,000	300,000
受取配当等の益金不算入額	2,950,000	
収　用　等　の　所　得　の　特　別　控　除　額	2,700,000	
前　期　未　払　寄　附　金　認　容	1,980,500	1,980,500
小　　　計	34,074,500	28,424,500
仮　　　計	102,095,750	88,270,000
寄　附　金　の　損　金　不　算　入　額	700,000	
法　人　税　額　控　除　所　得　税　額	1,590,000	
合計・差引計・総計	104,385,750	88,270,000
所　得　金　額	104,385,750	88,270,000

2．別表1

区　　　　分	税率	金　　額
所　得　金　額	％	104,385,750円
法人税額の計算　(1) 年800万円相当額　　　　8,000,000	15	1,200,000
(2) 年800万円超過額　　　　96,385,000　　　（千円未満切捨）	23.2	22,361,320
法　人　税　額		23,561,320
試験研究費の特別控除額		2,853,250
法　人　税　額　計		20,708,070
控　除　所　得　税　額		1,590,000
差引所得に対する法人税額　　（百円未満切捨）		19,118,000
中　間　申　告　分　法　人　税　額		※　14,000,000
差引確定法人税額		5,118,000

※　15,442,000円－1,442,000円＝14,000,000円

３．別表５（一）のI

区　　　分	期首現在利益積立金額 ①	当期の増減 減 ②	当期の増減 増 ③	差引翌期首現在利益積立金額 ①−②+③ ④
利 益 準 備 金	8,000,000円	円	1,500,000円	9,500,000円
別 途 積 立 金	52,000,000		27,500,000	79,500,000
特 別 償 却 準 備 金	3,500,000	500,000		3,000,000
特 別 償 却 準 備 金 積 立	△ 3,500,000	△ 500,000		△ 3,000,000
減 価 償 却 超 過 額	600,000		1,295,000	1,895,000
仮 払 交 際 費	△ 340,000	△ 340,000		0
一 括 貸 倒 引 当 金	1,100,000	1,100,000	3,465,000	3,465,000
未 払 寄 附 金	1,980,500	1,980,500		0
土 地 圧 縮 積 立 金			15,000,000	15,000,000
土 地 圧 縮 積 立 金 積 立		△ 15,000,000		△ 15,000,000
土地圧縮積立金積立超過額			1,100,000	1,100,000
仮 払 寄 附 金			△ 300,000	△ 300,000
繰 越 損 益 金	60,000,000	60,000,000	61,000,000	61,000,000
納 税 充 当 金	41,922,000	41,922,000	49,055,500	49,055,500
未納法人税等 未納法人税及び未納地方法人税	△ 29,976,000	△ 45,418,000	中間 △15,442,000　確定 △ 5,808,900※	△ 5,808,900
未納法人税等 未納住民税	△ 1,902,000	△ 2,899,000	中間 △ 997,000　確定	
差 引 合 計 額	133,384,500			

※　5,118,000円＋690,900円＝5,808,900円

次の資料により、当社の当期（令和７年４月１日〜令和８年３月31日）における租税公課等の別表４の税務調整をするとともに別表５（一）のⅠの一部及び別表５（二）を完成させなさい。

(1) 納税充当金の増減は、次のとおりとなっている。

区　分	期首現在額	当期減少額	当期増加額	期末現在額
法 人 税 等	8,500,000円	8,500,000円		
住 民 税	650,000	650,000		
事 業 税	1,950,000	1,950,000		
合　計	11,100,000円	11,100,000円	15,000,000円	15,000,000円

（注１）法人税等には地方法人税が含まれている。以下同じ。

（注２）期首現在額及び当期増加額はそれぞれ前期（令和６年４月１日〜令和７年３月31日）及び当期において、前期分及び当期分の確定申告に係る法人税、住民税及び事業税として損金経理により引き当てた金額である。

（注３）当期減少額は、当期中に前期分の確定申告による納付を行ったときに取り崩した金額である。

(2) 税効果会計に関する事項

当社は、税効果会計を適用しているが、法人税等調整額703,560円は法人税、住民税及び事業税とともに税引前当期利益から控除している。

なお、繰延税金資産及び繰延税金負債の増減の明細は、次のとおりである。

区　分	期首現在額	当期解消額	当期発生額	期末現在額
繰 延 税 金 資 産	1,500,000円	780,000円	1,876,440円	2,596,440円
繰 延 税 金 負 債	4,000,000円	0円	1,800,000円	5,800,000円

(3) 租税公課として損金経理した金額は次のとおりである。

① 当期分中間申告法人税等　　　　　　　5,200,000円
② 当期分中間申告住民税　　　　　　　　380,000円
③ 当期分中間申告事業税　　　　　　　　1,480,000円
④ ①に係る延滞税　　　　　　　　　　　61,000円
⑤ 固定資産税　　　　　　　　　　　　　589,500円
⑥ 預金利子に係る所得税額及び復興特別所得税　62,944円
⑦ 印紙税　　　　　　　　　　　　　　　185,000円
⑧ ⑦に係る過怠税　　　　　　　　　　　70,000円
⑨ 給与の源泉徴収に係る不納付加算税　　60,000円

(4) 期末現在未納税額である別表１差引確定申告法人税額及び地方法人税額の合計額は9,783,700円、住民税の申告により納付すべき住民税額は725,200円である。

(答案用紙)

【別表5（一）のⅠ】　　　　　　　　　　　　　　　　　　　　　　　（単位：円）

区　　分	期首利益積立金額	当期の増減		差引翌期首現在利益積立金額
		減	増	
	①	②	③	④
利　益　準　備　金	――			
別　途　積　立　金	――			
繰　延　税　金　資　産	△1,500,000			
繰　延　税　金　負　債	4,000,000			
繰　越　損　益　金	――			
納　税　充　当　金	11,100,000			
未納法人税等　未納法人税及び未納地方法人税	△ 8,500,000	△	中間 △ 確定 △	△
未納住民税	△ 650,000	△	中間 △ 確定 △	△
差　引　合　計　額	――	――	――	――

－287－

【別表5（二）】 (単位：円)

科目・事業年度			期首現在未納税額	当期発生税額	当期中の納付税額			期末現在未納税額
					充当金取崩しによる納付	仮払経理による納付	損金経理による納付	
地方法人税及び法人税	前期分		8,500,000					
	当期分	中間						
		確定						
	計							
住民税	前期分		650,000					
	当期分	中間						
		確定						
	計							
事業税	前期分							
	当期中間分							
	計							
その他	損金算入のもの	利子税						
		延滞金						
	損金不算入のもの	加算税等						
		延滞税						
		延滞金						

納税充当金の計算						
期首納税充当金			11,100,000	取崩額	その他	損金算入のもの	
繰入額	損金経理をした納税充当金					損金不算入のもの	
	計					仮払税金消却	
取崩額	法人税額等					計	
	事業税				期末納税充当金		

−288−

解　答

損金経理納税充当金	15,000,000円	（加・留）
法人税等調整額	703,560円	（加・留）
損金経理法人税等	5,200,000円	（加・留）
損金経理住民税	380,000円	（加・留）
損金経理附帯税等	191,000円	（加・流）…61千円＋70千円＋60千円＝191千円
納税充当金支出事業税等	1,950,000円	（減・留）
法人税額控除所得税額	62,944円	（加・流）

【別表5（一）のⅠ】　　　　　　　　　　　　　　　　　　　　　　　　（単位：円）

区　　　分	期首利益積立金額 ①	当期の増減 減 ②		当期の増減 増 ③		差引翌期首現在利益積立金額 ④
利 益 準 備 金	――					
別 途 積 立 金	――					
繰 延 税 金 資 産	△1,500,000	△ 780,000		△1,876,440		△2,596,440
繰 延 税 金 負 債	4,000,000	0		1,800,000		5,800,000
繰 越 損 益 金	――					
納 税 充 当 金	11,100,000	11,100,000		15,000,000		15,000,000
未納法人税及び 未納地方法人税	△ 8,500,000	△13,700,000		中間	△5,200,000	△9,783,700
				確定	△9,783,700	
未納住民税	△ 650,000	△ 1,030,000		中間	△ 380,000	△ 725,200
				確定	△ 725,200	
差 引 合 計 額	――	――		――		――

【別表5（二）】　　　　　　　　　　　　　　　　　　　　　　　　　　　　　　　　　　　　　　（単位：円）

科目・事業年度			期首現在未納税額	当期発生税額	当期中の納付税額			期末現在未納税額
					充当金取崩しによる納付	仮払経理による納付	損金経理による納付	
法人税地方法人税及び	前　期　分		8,500,000		8,500,000			0
	当期分	中　　間		5,200,000			5,200,000	0
		確　　定		9,783,700				9,783,700
	計		8,500,000	14,983,700	8,500,000	0	5,200,000	9,783,700
住民税	前　期　分		650,000		650,000			0
	当期分	中　　間		380,000			380,000	0
		確　　定		725,200				725,200
	計		650,000	1,105,200	650,000	0	380,000	725,200
事業税	前　期　分			1,950,000	1,950,000			0
	当期中間分			1,480,000			1,480,000	0
	計			3,430,000	1,950,000	0	1,480,000	0
その他	損金算入のもの	利　子　税						
		延　滞　金						
		固定資産税		589,500			589,500	0
		印　紙　税		185,000			185,000	0
	損金不算入のもの	加算税等		60,000			60,000	0
		延　滞　税		61,000			61,000	0
		延　滞　金						
		過　怠　税		70,000			70,000	0
		所　得　税		62,944			62,944	0

納　税　充　当　金　の　計　算						
期　首　納　税　充　当　金		11,100,000	その他	損金算入のもの		
繰入額	損金経理をした納税充当金	15,000,000	取崩額	損金不算入のもの		
	計	15,000,000		仮　払　税　金　消　却		
取崩額	法　人　税　額　等	9,150,000		計		11,100,000
	事　　業　　税	1,950,000	期　末　納　税　充　当　金			15,000,000

問　題　3　別表5（一）のⅡ　　　　　　　　　　重要度　C

　当社は、製造業を営む期首資本金1億円の非同族会社である。次の資料に基づき、当社の当期（令和7年4月1日～令和8年3月31日）の別表5（一）のⅡ（答案用紙）を完成させるとともに交際費の損金不算入額及び寄附金の損金不算入額を計算しなさい。

(1) 増資に関する事項

　　当社は期中に次の増資をし、資本金を25,000,000円増加させた。

　　令和7年8月1日に資本準備金の資本組入れ　　　25,000,000円

(2) 当期において交際費勘定に計上されている金額は2,500,000円であり、このうちには次のものが含まれている。

　① 社内会議に際し支出した弁当代（通常要する範囲）　　　　500,000円

　② 特約店とするための運動費用（金銭による支出）　　　　250,000円

　③ 得意先を接待するための飲食費（1人当たり10,000円超）　600,000円

(3) 寄附金に関する事項

　① 当期中において損金経理により支出した寄附金の内訳は、次のとおりである。

寄　附　先	使　途　等	区　　分	金　　額
○○県立A高校	体育館建設資金	指定寄附金等	2,200,000円
社会福祉法人	経　　　　費	特定公益増進法人に対する寄附金	500,000
政治団体自共党	政　治　資　金	一般の寄附金	2,300,000

　② 当期の別表4仮計の金額は47,000,000円である。

（答案用紙）

【別表5（一）のⅡ】　　　　　　　　　　　　　　　　　　　　　（単位：円）

区　　　　分		期首現在資本金等の額	当期の増減		差引翌期首現在資本金等の額
			減	増	
		①	②	③	④
資本金又は出資金	32	100,000,000			
資　本　準　備　金	33	40,000,000			
	34				
	35				
差　引　合　計　額	36	140,000,000			

【別表5（一）のⅡ】　　　　　　　　　　　　　　　　　　　　　　　　　　　　（単位：円）

区　　　　分		期　首　現　在 資本金等の額	当　期　の　増　減		差引翌期首現在 資本金等の額
			減	増	
		①	②	③	④
資 本 金 又 は 出 資 金	32	100,000,000		25,000,000	125,000,000
資 本 準 備 金	33	40,000,000	25,000,000		15,000,000
	34				
	35				
差 引 合 計 額	36	140,000,000	25,000,000	25,000,000	140,000,000

1．交際費の損金不算入額

$2,500,000円 - 500,000円 - 250,000円 - 600,000円 × 50\% = 1,450,000円$（加・流）

2．寄附金の損金不算入額

(1) 支出寄附金の額

① 指定寄附金等　　　　　　　　2,200,000円

② 特定寄附金　　　　　　　　　500,000円

③ その他の寄附金　　　　　　　2,300,000円

④ ①＋②＋③　　　　　　　　　5,000,000円

(2) 損金算入限度額

① 特別損金算入限度額

$$\left\{ (125,000,000円 + 15,000,000円) × \frac{12}{12} × \frac{3.75}{1,000} + (47,000,000円 + 5,000,000円) × \frac{6.25}{100} \right\} × \frac{1}{2} = 1,887,500円$$

② 一般寄附金の損金算入限度額

$$\left\{ (125,000,000円 + 15,000,000円 × \frac{12}{12} × \frac{2.5}{1,000} + (47,000,000円 + 5,000,000円) × \frac{2.5}{100} \right\} × \frac{1}{4} = 412,500円$$

(3) 損金不算入額

$5,000,000円 - 2,200,000円 - 500,000円^{*} - 412,500円 = 1,887,500円$（加・流）

＊　$500,000円 < 1,887,500円$　　∴　$500,000円$

法人税の計算上、資本金及び資本金等の額を計算要素として使うものがあるが、そのうち資本金については「会計上の資本金＝税務上の資本金」になるため、会計上の資本金勘定を使って計算すればよい。

問題 4　自己株式の取得　　　　重要度　B

次の資料により当社の当期（令和7年4月1日～令和8年3月31日）における別表4、別表5（一）Ⅰ・Ⅱを完成しなさい。なお、源泉所得税等については、考慮不要とする。

1．自己株式の取得に関する事項

当社は当期の10月1日に相対取引により100株の自己株式を500,000円で取得し、次の経理処理を行っている。

（借）自己株式　　500,000円　　　　（貸）現金預金　　500,000円

なお、当社の発行済株式総数は10,000株である。

2．資本金等の額に関する事項

当社の資本金の額、資本金等の額は次のとおりである。

(1)　資本金の額　　　　30,000,000円

(2)　資本金等の額　　　35,000,000円

（答案用紙）

【別表４】 （単位：円）

区　　　分	総　　額	処　　　分		
		留　保	社　外　流　出	
	①	②	③	
当　期　利　益　の　額	————	————	配　当	
			その他	
加算				
減算				
所　得　金　額	————	————	————	

【別表５（一）Ｉ】 （単位：円）

	I　利益積立金額の計算に関する明細書			
区　　　分	期首現在利益積立金額	当　期　の　増　減		差引翌期首現在利益積立金額
		減	増	
	①	②	③	④
	————	————	————	————

【別表５（一）Ⅱ】 （単位：円）

	Ⅱ　資本金等の額の計算に関する明細書			
区　　　分	期首現在資本金等の額	当　期　の　増　減		差引翌期首現在資本金等の額
		減	増	
	①	②	③	④
資　　　本　　　金	30,000,000			
資　本　準　備　金	5,000,000			
差　引　合　計　額	35,000,000			

解 答

【別表4】 （単位：円）

区　　分	総　額	処　　分		
		留　保	社　外　流　出	
	①	②	③	
当 期 利 益 の 額	——————	——————	配　当	150,000
			その他	
加算				
減算				
所　得　金　額	——————	——————	——————	

【別表5（一）Ⅰ】 （単位：円）

Ⅰ　利益積立金額の計算に関する明細書				
区　　分	期首現在利益積立金額	当 期 の 増 減		差引翌期首現在利益積立金額
		減	増	
	①	②	③	④
自　己　株　式			△150,000	△150,000
	——————	——————	——————	——————

【別表5（一）Ⅱ】 （単位：円）

Ⅱ　資本金等の額の計算に関する明細書				
区　　分	期首現在資本金等の額	当 期 の 増 減		差引翌期首現在資本金等の額
		減	増	
	①	②	③	④
資　　　本　　　金	30,000,000			30,000,000
資　本　準　備　金	5,000,000			5,000,000
自　己　株　式			△350,000	△350,000
差　引　合　計　額	35,000,000		△350,000	34,650,000

解答への道

　法人が自己株式の取得（市場購入以外）を行った場合には、取得資本金額を資本金等の額から減算し、取得により交付した金銭等の額から取得資本金額を減算した金額を利益積立金額から減算する。

---

(1) 減少する資本金等の額（取得資本金額）

$$\text{取得直前の資本金等の額} \times \frac{\text{取得した株式数}}{\text{取得直前の発行済株式等の総数}}$$

(2) 減少する利益積立金額

交付した金銭等の額 － (1)

　本問の場合には、次のようになる。

(1) 減少する資本金等の額（取得資本金額）

$$35,000,000円 \times \frac{100株}{10,000株} = 350,000円$$

(2) 減少する利益積立金額

$$500,000円 － 350,000円 = 150,000円$$

税理士受験シリーズ

2025年度版　11　法人税法　個別計算問題集

（昭和60年度版　1985年1月10日　初版 第1刷発行）

2024年11月21日　初 版　第1刷発行

編 著 者	Ｔ Ａ Ｃ 株 式 会 社
	（税理士講座）
発 行 者	多　　田　　敏　　男
発 行 所	ＴＡＣ株式会社　出版事業部
	（ＴＡＣ出版）

〒101-8383
東京都千代田区神田三崎町3-2-18
電話 03 (5276) 9492 (営業)
ＦＡＸ 03 (5276) 9674
https://shuppan.tac-school.co.jp

印 　　刷	株式会社　ワ　コ　ー
製 　　本	株式会社　常 川 製 本

© TAC 2024　　Printed in Japan

ISBN 978-4-300-11311-0
N.D.C. 336

2025年合格目標コース

反復学習でインプット強化！ ＆ 豊富な演習量で実践力強化！

対象者：初学者／次の科目の学習に進む方

2024年				2025年							
9月	10月	11月	12月	1月	2月	3月	4月	5月	6月	7月	8月

9月入学 基礎マスター＋上級コース（簿記・財表・相続・消費・酒税・固定・事業・国徴）
3回転学習！年内はインプットを強化、年明けは演習機会を増やして実践力を鍛える！
※簿記・財表は5月・7月・8月・10月入学コースもご用意しています。

9月入学 ベーシックコース（法人・所得）
2回転学習！週2ペース、8ヵ月かけてインプットを鍛える！

9月入学 年内完結＋上級コース（法人・所得）
3回転学習！年内はインプットを強化、年明けは演習機会を増やして実践力を鍛える！

12月・1月入学 速修コース（全11科目）
7ヵ月〜8ヵ月間で合格レベルまで仕上げる！

3月入学 速修コース
（消費・酒税・固定・国徴）
短期集中で税法合格を目指す！

税理士試験

対象者：受験経験者（受験した科目を再度学習する場合）

2024年				2025年							
9月	10月	11月	12月	1月	2月	3月	4月	5月	6月	7月	8月

9月入学 年内上級講義＋上級コース（簿記・財表）
年内に基礎・応用項目の再確認を行い、実力を引き上げる！

9月入学 年内上級演習＋上級コース（法人・所得・相続・消費）
年内から問題演習に取り組み、本試験時の実力維持・向上を図る！

12月入学 上級コース（全10科目）
※住民税の開講はございません
講義と演習を交互に実施し、答案作成力を養成！

税理士試験

※2024年7月12日時点の情報です。最新の情報は、TAC税理士講座ホームページをご確認ください。

"入学前サポート"を活用しよう！

無料セミナー＆個別受講相談

無料セミナーでは、税理士の魅力、試験制度、科目選択の方法や合格のポイントをお伝えしていきます。セミナー終了後は、個別受講相談でみなさんの疑問や不安を解消します。

TAC 税理士 セミナー ［検索］
https://www.tac-school.co.jp/kouza_zeiri/zeiri_gd_gd.htm

無料Webセミナー

TAC動画チャンネルでは、校舎で開催しているセミナーのほか、Web限定のセミナーも多数配信しています。受講前にご活用ください。

TAC 税理士 動画 ［検索］
https://www.tac-school.co.jp/kouza_zeiri/tacchannel.html

体験入学

教室講座開講日（初回講義）は、お申込み前でも無料で講義を体験できます。講師の熱意や校舎の雰囲気を是非体感してください。

TAC 税理士 体験 ［検索］
https://www.tac-school.co.jp/kouza_zeiri/zeiri_gd_gd.htm

税理士11科目 Web体験

「税理士11科目Web体験」では、TAC税理士講座で開講する各科目・コースの初回講義をWeb視聴いただけるサービスです。講義の分かりやすさを確認いただき、学習のイメージを膨らませてください。

TAC 税理士 ［検索］

https://www.tac-school.co.jp/kouza_zeiri/taiken_form.html

チャレンジコース

受験経験者・独学生待望のコース!

4月上旬開講!

開講科目	簿記・財表・法人 所得・相続・消費

基礎知識の底上げ ✕ **徹底した本試験対策**

チャレンジ講義 + チャレンジ演習 + 直前対策講座 + 全国公開模試

受験経験者・独学生向けカリキュラムが 一つのコースに!

※チャレンジコースには直前対策講座(全国公開模試含む)が含まれています。

直前対策講座

5月上旬開講!

本試験突破の最終仕上げ!

直前期に必要な対策が すべて揃っています!

学習 メディア	教室講座・ビデオブース講座 Web通信講座・DVD通信講座・資料通信講座

\ **全11科目対応** /

開講科目	簿記・財表・法人・所得・相続・消費 酒税・固定・事業・住民・国徴

- 徹底分析!「試験委員対策」
- 即時対応!「税制改正」
- 毎年的中!「予想答練」

※直前対策講座には全国公開模試が含まれています。

チャレンジコース・直前対策講座ともに詳しくは2月下旬発刊予定の
「チャレンジコース・直前対策講座パンフレット」をご覧ください。